ユネスコ
フェイクニュース
対応ハンドブック

SNS時代のジャーナリズム教育

ユネスコ
[編]

加納寛子
[翻訳監修]

明石書店

2023 年国連教育科学文化機関（UNESCO）（7, place de Fontenoy, 75352 Paris 07 SP, France）発行

〒 101-0021 東京都千代田区外神田 6-9-5 株式会社明石書店

原題：Journalism, "Fake News" & Disinformation
2018 年国連教育科学文化機関（UNESCO）（7, place de Fontenoy, 75352 Paris 07 SP, France）により初版発行

本書において使用されている名称及び資料の提示は、いかなる国、領土、都市もしくは地域またはその当局の法的地位、またはその国境もしくは境界の画定に関して、ユネスコがいかなる意見をも表明することを意味するものではない。

本書に表明されている見解と意見は著者のものである。これらは必ずしもユネスコのものではなく、ユネスコはそれらの責任は負わない。

編者：シェリリン・アイアトン、ジュリー・ポセッティ
寄稿者・貢献者：ジュリー・ポセッティ、シェリリン・アイアトン、クレア・ワードル、ホセイン・デラクシャン、アリス・マシューズ、マグダ・アブ＝ファディル、トム・トレウィナード、ファーガス・ベル、アレクシオス・マントザルリス

追加調査：トム・ロー
グラフィックデザイン：クリントン
カバーデザイン：クリントン
イラストレーション：ユネスコ
組版：ユネスコ
印刷：ユネスコ
発行：フランス

目次

MODULE 1　真実と信頼そしてジャーナリズム：
なぜそれが重要なのか

シェリリン・アイアトン

MODULE 2　「情報障害」について考える：
偽情報、誤情報、悪意のある情報の形態

クレア・ワードル／ホセイン・デラクシャン

MODULE 3　ニュース業界の変革：
デジタル技術、ソーシャルプラットフォーム、誤情報・偽情報の蔓延

ジュリー・ポセッティ

MODULE 4　メディアと情報リテラシーによる偽情報と誤情報との戦い

マグダ・アブ＝ファディル

MODULE 5　検証：ファクトチェック入門

アレクシオス・マントザルリス

MODULE 6　ソーシャルメディアの検証：
情報源と映像コンテンツの評価

トム・トレウィナード／ファーガス・ベル

MODULE 7　ネット上の誹謗中傷に対抗する：
ジャーナリストとその情報源が標的とされた場合

ジュリー・ポセッティ

はじめに

　本書は、ユネスコによるジャーナリズム教育の強化に努める一環として、先端知識のリソースと並ぶ最新の刊行物です。

　本書は、ユネスコのコミュニケーション発展のための国際プログラム（International Programme for the Development of Communication, IPDC）の焦点である「ジャーナリズム教育における卓越性を獲得するグローバル計画（Global Initiative for Excellence in Journalism Education）」の一部です。この計画は、国際的に優良な実践事例の共有を含め、グローバルな観点からジャーナリズムについての教育、実践、研究に携わることを目指しています。

　したがって、本書は、柔軟に活用できる国際的なモデルカリキュラムを提供し、社会、とりわけジャーナリズムが直面する新たに浮上したグローバル問題である「偽情報」に対応することを目的とします。

　本書では「フェイクニュース」という用語が単純な、または一般的に理解されている意味を持つ概念として想定していません[1]。本来「ニュース」という概念は、検証可能で公共の利益になる情報を意味するため、この基準を満たさない情報はニュースとして相応しくありません。こうした観点からは、「フェイクニュース」という用語自体は撞着語（矛盾した表現）であり、検証性と公共性の基準を満たす情報、つまり本物のニュースの信憑性を損ねる結果になりかねません。

　本書では、ニュースというジャンルで言葉や慣習を搾取的に操作する事例をよりよく理解するために、これら詐欺行為を、映像ミームなどのエンターテインメント形式を含めて、多様化する偽情報（disinformation）の中の特定のカテゴリーとして扱っています。

1　Tandoc E; Wei Lim, Z and Ling, R. (2018). Defining 'Fake News': A typology of scholarly definitions, *Digital Journalism*, Taylor and Francis, Volume 6, Issue 2: 'Trust, Credibility, Fake News' を参照のこと。

本書において、偽情報とは、一般的に不正な情報を伝えることによって人々を混乱させる意図で（しばしば組織的かつひそかに）操作を行おうとする試みを指します。こうした行為はしばしば、複数のコミュニケーション戦略、例えばハッキングや個人情報の漏洩のような戦術を併用、混用しながら行われます。これに対して、誤情報（misinformation）とは、一般的に悪意や操作する意図のない状態で誤解を招き得る情報が制作、拡散される場合を指します。両方とも社会的に問題を起こしますが、偽情報の方がより危険です。なぜなら、偽情報は、よく整理され、豊富な情報源によって裏付けられ、そして自動化された技術によって強化されがちだからです。

　偽情報の拡散者は、受け手の脆弱性と党利党略を利用して偽情報のさらなる拡散を目指します。人々に様々な理由で情報共有を求める傾向があることを利用して、私たちをメッセージの伝達者にさせているのです。そうした文脈において「フェイクニュース」は、無料で入手できるので特に危険です。経済的な理由で良質なジャーナリズムにアクセスできない人々、ないしは、公共性を保とうとする独立的なニュースメディアへ接続できない人々こそ、偽情報や誤情報に脆弱なわけです。

　偽情報や誤情報はソーシャルネットワークやソーシャルメッセージングを通じて広く拡散されるため、そうしたサービスを提供している企業の規制及び自主的な努力にまつわる課題が浮上しました。そうした企業は、コンテンツの制作ではなく、媒介のためのプラットフォームを提供するので、今まで、著作権分野を除き、最小限の規制で運営する姿勢をとってきました。しかし、そうしたビジネス主体に対する圧力の増加、及び過度な規制によって表現の自由に対する脅威を考慮したうえで、ばらつきはあるものの自主規制の水準を強化する動きが見られています[2]。

2　Manjoo, F. (2018). What Stays on Facebook and What Goes? The Social Network Cannot Answer. *New York Times*, 19 July, 2018. https://www.nytimes.com/2018/07/19/technology/facebook-misinformation.html ［閲覧日 20/07/2018］; https://www.rt.com/usa/432604-yo

2018年、「表現と意見の自由に関する国連特別報告者」の年次報告書では、この問題に焦点を当て、インターネット企業にニュースメディアの自主規制のあり方を学ぶことと、情報の伝達、検索、受信に関わる国連の基準とより強く連携することを求めました[3]。政府と企業によってとられる措置が速やかに進化する生態系のなかで、ジャーナリストとニュースメディアにも大事な役割が与えられています。それを確かめることにも本書の意味があります。

差異を知る

偽情報と誤情報は、両方とも専門的な基準と報道倫理に従う良質なジャーナリズムと異なります。また、これらは自らの信念を守ることができない弱いジャーナリズムとも違います。問題のあるジャーナリズムといえば、ずさんな調査や不十分な検証であるが故に、持続的に（修正されないままに）誤情報を出し続ける場合があります。その中には、事実を誇張するセンセーショナリズムと、公平性を犠牲にしながら党派的観点による事実選別も含まれます。

しかし、標準以下のジャーナリズムはイデオロギーに色づけられ、理想のジャーナリズムはあらゆる見解と観点を網羅できる、ということを想定するわけではありません。むしろすべてのジャーナリズムはある見解を持ちます。見解が明示されることは問題ではなく、そこに十分な専門意識と能力がないということが問題になります。このような点において、弱いジャーナリズムは偽情報や誤情報と異なるのです。

utube-invests-reputable-news/［閲覧日 15/07/2018］; https://youtube.googleblog.com/［閲覧日 15/07/2018］; https://sputniknews.com/asia/201807111066253096-whatsapp-seeks-help-fake-news/［閲覧日 15/07/2018］

3　Report of the Special Rapporteur on the promotion and protection of the right to freedom of opinion and expression. UN Human Rights Council 6 April 2018. A/HRC/38/35. https://documents-dds-ny.un.org/doc/UNDOC/GEN/G18/096/72/PDF/G1809672.pdf?OpenElement［閲覧日 20/07/2018］

それにもかかわらず、質の低いジャーナリズムは、真のニュースの中で偽情報と誤情報を生み出したり、リークしたりします。しかし、弱いジャーナリズムの原因と改善方法は、偽情報と誤情報の取り扱いと異なるのです。同時に、情報環境の汚染や、強力に歪曲されつつあるニュースに直面する状況下において、解毒剤としての強力な倫理的ジャーナリズムが必要なことは明らかです。

今日、ジャーナリストたちは、進化し続けている偽情報と誤情報の殺到に対する傍観者ではありません。むしろ、そうした流れに加担しているかもしれません[4]。すなわち、

▷ ジャーナリズムは、混乱した情報が溢れるなかで溺れる（立ち退かされる）リスクに直面しています[5]。

▷ ジャーナリストは、「不都合な真実」を含め、真実を伝えるために努力をするコミュニケーターでありますが、自らのあり方が脅かされています。信頼度を傷付けるための意図的な嘘、噂、詐欺行為の標的となっています。特に、偽情報の拡散に加担したり、直接関わったりしている人たちを暴露する恐れがある場合は、その危険性が増幅します[6]。

さらに、ソーシャルメディアが偽情報の主な舞台であり、そこの強力な発信者たちが「フェイクニュース」への懸念を本物のニュースメディアに責任転嫁していることを、ジャーナリストは認識する必要がありま

4　こうした危険性にもかかわらず、国によっては偽情報に対応できるシステム、予算、訓練人力の欠ける報道局があるという研究結果がある。Penplusbytes. (2018). Media Perspectives on Fake News in Ghana. http://penplusbytes.org/publications/4535/［閲覧日 12/06/2018］

5　Butler, P. (2018). How journalists can avoid being manipulated by trolls seeking to spread disinformation. http://ijnet.org/en/blog/how-journalists-can-avoid-being-manipulated-trolls-seeking-spread-disinformation. 本書のモジュール3も参照のこと。

6　モジュール7を参照のこと。

す。新しくて厳しい規制法案のもとで、報道機関がまるで偽情報源のようにスケープゴートとして取り扱われ、あらゆる通信プラットフォームに対して設けられた制限を無差別に受けています。このような規制はまた、表現に対する制限は明白に必要であり、内容に即して正当な目的のためのものでなければならないとする国際的原則との整合性が不十分であることが多々あります。その効果は、たとえ意図したものでなくとも、純粋に政治的な理由で情報を抑圧する力を持つ「真実の番人」に、本物のニュースメディアを従わせることになります。

　偽情報や誤情報をめぐる昨今の状況において、最も危ういのはジャーナリズムに対する不当な規制ではなく、人々がジャーナリズムを含むすべてのコンテンツに不信感を抱えてしまう事態です。こうした状況が続けば、人々は自分が所属しているソーシャルネットワーク内で賛同されるコンテンツなら何でも信頼できるものとして受け取る可能性があります。つまり、知性の代わりに、感性に頼ってあらゆる物事を判断してしまうのです。こうした事態が、健康、科学、異文化理解、信頼に値する専門知識などにおいて、公共的な信頼性に悪影響を及ぼすことを我々はすでに経験しています。

　公共に与えるこうした影響は、特に選挙、さらにいえば、人権としての民主主義の根本的な理念に関わっています。偽情報の目的は必ずしも内容の真実性を民衆に納得させることではありません。むしろ、議題設定（人々が重要だと考えるテーマ）に影響を与えて情報の流れを濁らせ、とりわけ世論調査で投票の意思決定における合理的な要素を弱めることにあります[7]。同様に、移民問題、気候変動などといった問題は偽情報や誤情報から生まれる不確実性に影響されやすいです。

　こうした危険性から「フェイクニュース」の台頭に真正面から立ち向

7　Lipson, D. (2018). Indonesia's 'buzzers' paid to spread propaganda as political elite wage war ahead of election, *ABC News.* http://mobile.abc.net.au/news/2018-08-13/indonesian-buzzers-paid-to-spread-propaganda-ahead-of-election/9928870?pfmredir=sm ［閲覧日 17/08/2018］

かうことは、ジャーナリズムとジャーナリズム教育にとって必要不可欠です。同時に、こうした脅威はニュースメディアの価値をはっきりと示す好機でもあります。また、検証可能な情報と公益のための見解を伝える専門的実践の特殊性を強調するチャンスにもなるでしょう[8]。

ジャーナリズムのやるべきこと

こうした状況では、ニュース媒体は専門性の基準と職業倫理により厳密に取り組み、検証されていない情報の発信を避けつつ、一部の民衆の関心を引くかもしれないが公益性のない情報とは距離を置くように努力する必要があります。

したがって本書は時宜に、すべての報道機関とジャーナリストへ、政治的な偏向を問わず、不注意かつ無批判的に偽情報と誤情報を拡散することを避けることを呼びかけます。今日、多くのニュースメディアにおいて事実をチェックする役職が撤廃されたため、ジャーナリストたちは時々誤った情報を発信してしまいます。その一方、ブロガーや外部の主体はそうした誤りを指摘することで「第五の権力」という名を獲得しています。こうした新しい現象は、検証可能な情報への社会的関心を高めることになるので、ニュースメディアにとっては朗報かもしれません。ジャーナリスト側は、独立的なファクトチェック組織の成果を、より広く多くの人に届けるべきです。ところが、既存の報道機関の過ちを外部の専門機関に頼ってチェックする体制では、専門的な情報源としての報道機関の価値に少なからず疑問をもたらす結果になるかもしれません。すなわち、外部の専門機関による訂正が、内部の品質管理の代替にはならないことに、ニュースメディアは気を付けなければなりません。そして、ジャーナリストたちは、信頼できるメディアのある社会の可能性を

8　Nordic Council of Ministers. 2018. Fighting Fakes-the Nordic Way. Copenhagen: Nordic Council of Ministers. http://www.nordicom.gu.se/en/latest/news/fighting-fakes-nordic-way ［閲覧日 12/06/2018］も参照のこと。

損ねないように、最初から正しい情報を届けるためにより努力すべきなのです。

　要するに、外部の監視者に頼る構造ではジャーナリズムに賞杯は得られません。メディアで報道されたのであれ、ジャーナリズムを通さずにソーシャルメディアで直接掲載されたのであれ、ジャーナリストとしては、情報源から疑わしい主張を検証する専門的な仕事を、外部のファクトチェック組織に任せてはいけません。ニュース従事者は、「彼がこう言った、彼女がこう言った」という報道の仕方を乗り越え、主張の真偽に関する調査という能力を改善しなければなりません。

　その上、ジャーナリズムは偽情報の新しい事例や形態を積極的に探り出さなければいけません。これは報道機関にとって重要な使命であり、「フェイクニュース」への規制手段の代わりにもなります。メディアリテラシーや情報リテラシーの向上には、受け手側にニュース、偽情報、誤情報が識別できる素養を身につけさせる中期的な対応策として、目先の危機への対応策にもなるわけです。話題の中心になりがちな偽情報に関する根強い取材と報道は、ジャーナリズムの社会的な役割をさらに強化します。

　したがって本書は行動を呼びかけます。人々が概ねどのようなプロセスで情報の信頼性を判断するのか、また、一般の人々がどのように信頼性を判断しているのか、なぜ検証されていない情報を共有するのか、に関して、ジャーナリストが積極的に社会的議論の場へ参画することを呼びかけます。ニュースメディアと同様に、ジャーナリズムの教育機関とその学生、そしてメディアを教える人とその学習者にとっても、受け手たちと一緒に市民活動を繰り広げる重要な機会です。例えば、ソーシャルメッセージングやメールを通じて広まってしまう偽情報をメディアが発見し報道したいならば、「クラウドソーシング（crowd-sourcing）」という方法は非常に効果的なのです。

ユネスコの役割

コミュニケーション発展のための国際プログラム（International Programme for the Development of Communication, IPDC）がユネスコによって設立されました。この新しいプログラムは、既存の知識と理解を補完する実践的なスキルを提供しつつ、これまでと異なる原動力によって偽情報のストーリーが作られることに対して、ユニークかつ包括的な観点を提供します[9]。これは、表現の自由の領域で認識されている問題に対処するために国家の介入を受けるリスクに代わるものとして、ジャーナリストによる最適なパフォーマンスと自己規制を促すというユネスコの実績の一部です。

本書は、ユネスコが以前に発表した『持続可能な発展のためのジャーナリズム教習——新シラバス』（2015）[10]、及び『ジャーナリズム教育のためのモデルカリキュラム——新シラバスの概要』（2013）の続編として位置づけられます。これらの出版物は、2007年に9ヶ国語で刊行されたユネスコの『ジャーナリズム教育のモデルカリキュラム』[11]の続編です。

ジャーナリズムの教育とトレーニングに関して継続的な価値を持つ他のユネスコ出版物を下記に示します。

9　2017年に開催された第61回IPDC局の会議では、ジャーナリズムの最新かつ重要なトピックに関する新しいシラバスを作成し、「ジャーナリズム教育における卓越性を獲得するグローバル計画」を支援することに決定した。その進展は2018年に開催された第62回IPDC局の会議で報告され、このカリキュラムを支援するための追加予算が割り当てられた。

10　http://www.unesco.org/new/en/communication-and-information/resources/publications-and-communication-materials/publications/full-list/teaching-journalism-for-sustainable-development/［閲覧日 12/06/2018］

11　http://www.unesco.org/new/en/communication-and-information/resources/publications-and-communication-materials/publications/full-list/model-curricula-for-journalism-education/［閲覧日 12/06/2018］

▷『ジャーナリストの安全に関する教育モデル』(2017)[12]

▷『テロリズムとメディア――ジャーナリストのためのハンドブック』(2017)[13]

▷『アフリカの気候変動――ジャーナリストのためのガイドブック』(2013)[14]

▷『調査報道のグローバル事例研究』(2012)[15]

▷『記事による問いかけ――調査報道をするジャーナリストのためのマニュアル』(2009)[16]

▷『論争に敏感な報道――最先端、ジャーナリストとジャーナリズム教育者のための教育』(2009)[17]

　ジャーナリズム教育者やトレーナー、それに学生やジャーナリストが多くの点で自らの実践を改善することを通して、これらの出版物は世界数十の国において価値があるものであることが示されてきました。新しい知識と着想を得て数年にわたるプログラムに柔軟に適応させたところもあれば、ユネスコのリソースを既存のカリキュラムにとり入れて統合したところもあります。新しく発刊された本書の質とこれまでの出版物

12　https://en.unesco.org/news/unesco-releases-model-course-safety-journalists［閲覧日 12/06/2018］

13　https://en.unesco.org/news/terrorism-and-media-handbook-journalists［閲覧日 12/06/2018］

14　http://www.unesco.org/new/en/communication-and-information/resources/publications-and-communication-materials/publications/full-list/climate-change-in-africa-a-guidebook-for-journalists/［閲覧日 12/06/2018］

15　http://www.unesco.org/new/en/communication-and-information/resources/publications-and-communication-materials/publications/full-list/the-global-investigative-journalism-casebook/［閲覧日 12/06/2018］

16　http://unesdoc.unesco.org/images/0019/001930/193078e.pdf［閲覧日 12/06/2018］

17　http://www.unesco.org/new/en/communication-and-information/resources/publications-and-communication-materials/publications/full-list/conflict-sensitive-reporting-state-of-the-art-a-course-for-journalists-and-journalism-educators/［閲覧日 12/06/2018］

との一貫性は、読者に同様の価値をもたらすことができると期待します。

　ユネスコは政府間組織であるため、情報に対して地政学的な影響を受けておりません。周知のように、偽情報をめぐって様々な主張や反論が存在します。これらの知識は本書を読むために役立つだけでなく、読者が様々な事例についてさらなる証拠を収集することを促します。

　一方、相対主義を避けるべく、本書には評価と行動の確固たる基盤として、下記のコンピテンシーが含まれています。すなわち、

1. 透明性のある情報源によって制作され検証可能なニュースは、民主主義、社会開発、科学、健康と人類の進歩のために不可欠であるという知識
2. 偽情報は決して余興ではなく、偽情報と戦うことはニュースメディアにとって重要な使命であるという認識
3. 包括的で正確なジャーナリズムが偽造コンテンツに代わる信頼できるものとして競争するためには、専門職としてのジャーナリズムのスキルを高めることへのコミットメント

　以上の事柄が重要です。

　その他、本書は、ジャーナリストとニュースメディア機関（media outlets）にとって重要な知識も取り扱っています。例えば、

1. 系統立てて偽情報を監視、調査、報告できる報道局を整備する知識とスキル
2. 情報汚染と戦うために、報道機関、ジャーナリズム教育機関、NGO、ファクトチェック組織、地域共同体、インターネット企業、規制当局との協力関係を築くための知識
3. 圧倒的な偽情報、あるいは、ジャーナリストたちを狙って偽情報を拡散する悪意のある者たちからジャーナリズムを保護するため、大衆の

関心を喚起する必要性についての知識

が挙げられます。

　全体として、本書は、政府、国際機構、人権擁護活動家、インターネット企業、メディアと情報リテラシーの推進者を含む、広範囲な社会において如何にして偽情報問題に対応すべきかについて必要な情報を提供するはずです。特に、ジャーナリストたち自ら、また彼らの教育に携わる人たちは何ができるのかについて強調します。

　我々は、本書が、ささやかな方法でありながらも、ジャーナリズムが社会に対して重要な貢献ができるようにし、SDGs の目標の一つである「国内法規及び国際協定に従い、情報への公共アクセスを確保し、基本的自由を保障する（目標 16 のターゲット 10）」ことに役立つことを望みます。ユネスコは、本書を実現させてくれた編集者と著者たちに感謝します。そして、読者の皆様からのご意見をお待ちします。

ガイ・バーガー

ユネスコ自由表現とメディア開発局ディレクター

IPDC 事務局長

序　論

シェリリン・アイアトン／ジュリー・ポセッティ[1]

　本書は、ジャーナリズム教育者やトレーナー、またジャーナリズムを学んでいる学生に、「フェイクニュース」に関わる問題に取り組むための枠組みと学習内容を示すモデルカリキュラムとして制作されました。ジャーナリズムを実践する側のガイドラインとしても活用していただきたいと思います。

　誤情報と偽情報という解決すべき問題に対応するため、本書はジャーナリズム方法論と実践論の改善に努めてきた世界の中でも先導的なジャーナリズム教育者、研究者、評論家たちの知見を集約しています。授業内容は文脈に即しており、理論的で、オンライン検証の事例などは極めて実践的です。コースとしてまとめて使うことも、単独で使うこともでき、既存の教育モジュールの改善や新しい教育モジュールの作成に役立てることができます。「本書をモデルカリキュラムとしてどのように活用するか」についての提案は、この序論の次にあります。

　本書のタイトルと学習内容に「フェイクニュース」という用語を用いることについて議論がありました。今日の「フェイクニュース」は、ニュースとして偽装され拡散された、虚偽で誤解を招くような情報の総称にとどまりません。また、「フェイクニュース」は、ジャーナリズムへの信頼を傷付けるための、感情に訴える"武器化"された用語となりました。そのため、ワードルとデラクシャン（Wardle & Derakhshan）[2]が提案した「情報障害（information disorder）」、誤情報、偽情報という用語は、明確

1　ABC オーストラリアのアリス・マシューズ（Alice Matthews）と倫理的ジャーナリズムネットワークのトム・ロー（Tom Law）の研究や洞察、情報リソースがこの序論に反映されている。

2　モジュール2。

に規定されているわけではないが、好まれて使用されています[3,4]。

表現の自由と、「フェイクニュース」・偽情報・プロパガンダに関する共同宣言

本書は、ジャーナリズムとジャーナリストを主なターゲットにする「偽情報の戦争」に対して日々増加する国際的な懸念を背景に制作されました。2017年、このプロジェクトがユネスコから委託された際、意見と表現の自由に関する国連特別報告者（UN Special Rapporteur for Freedom of Opinion and Expression）、メディアの自由に関するOSCE代表者（the OSCE's Representative on Freedom of the Media）、表現の自由に関する米州機構の特別報告者（the Organisation of American States' Special Rapporteur on Freedom of Expression）〔訳者注：外務省，OAS; https://www.mofa.go.jp/mofaj/area/latinamerica/kikan/oas.html〕、アフリカの表現の自由と情報へのアクセスに関する特別報告者（the African Commission on Human and People's Rights Special Rapporteur on Freedom of Expression and Access to Information）〔訳者注：日本弁護士連合会（2013），国家安全保障と情報への権利 https://www.nichibenren.or.jp/library/ja/opinion/statement/data/2013/tshwane.pdfhttps://www.nichibenren.or.jp/library/ja/opinion/statement/data/2013/tshwane.pdf〕などによる共同宣言が発表されました。この宣言は、偽情報とプロパガンダの拡大、及びニュースメディアを「フェイクニュース」として攻撃することに対して警告をしました。特に、特別報告者と代表者は、ジャーナリズムとジャーナリストへの影響を懸念したのです。

3　「フェイクニュース」という用語を使用しない方がよいという議論は多くの研究者とジャーナリストたちから提起された。例えば、Basson, A. (2016). If it's fake, it's not news. https://www.news24.com/Columnists/AdriaanBasson/lets-stop-talking-about-fake-news-20170706〔閲覧日 12/06/2018〕

4　Wardle, C. et al. (2018). Information Disorder: the essential glossary, Shorenstein Center, Harvard University. https://firstdraftnews.org/wp-content/uploads/2018/07/infoDisorder_glossary.pdf?x25702〔閲覧日 21/07/2018〕

「（私たちは）公的機関がメディアを中傷し、委縮させ、脅迫する事例に警戒しています。例えば、メディアが『反対派である』『嘘をついている』あるいは政治的なアジェンダを隠し持っていると述べることなどです。それはジャーナリストへの脅威や暴力のリスクを高め、公的監視者としてのジャーナリズムに対する公共の信頼と確信を損ねる結果になります。結果的に、独立的に検証された事実を含むメディアの生産品と偽情報との区分が曖昧にされたことで大衆が翻弄させられることになりかねません」[5]

情報とは、新しいテクノロジーによって蘇った古い話

現代のジャーナリズムがニュースとして定義する基準や誠実さのルールが確立される遥か前から、歴史的な特徴として、情報を手当たり次第にかき集めては操作することが行われてきました。例えば、古代ローマ時代に遡って[6]、アントニウスがクレオパトラに出会った時、政敵であったオクタヴィアヌスは、「古代のツイートのスタイルとも例えるべき短くて辛辣なスローガンを書いた硬貨」を流通させるアンチ運動を展開しました[7]。この（フェイクニュース拡散の）犯人は、後に初代のローマ皇帝となるわけであり、すなわち、「オクタヴィアヌスはフェイクニュース

---

5 UN/OSCE/OAS/ACHPR (2017). Joint Declaration on Freedom of Expression and "Fake News", Disinformation, *Propaganda*. https://www.osce.org/fom/302796?download=true ［閲覧日 29/03/2017］; Kaye, D. (2017). *Statement to the UN General Assembly on October 24th, 2017.* https://www.ohchr.org/en/NewsEvents/Pages/DisplayNews.aspx?NewsID=22300&LangID=E［閲覧日 20/8/2018］も参照のこと。

6 クレオパトラ時代から現在に至るまでの「情報障害」の年表とガイドは、国際ジャーナリストセンター（ICFJ）発行のガイドを参照のこと。Posetti, J & Matthews, A (2018). A Short Guide to the History of 'Fake News' and Disinformation: A New ICFJ Learning Module. https://www.icfj.org/news/short-guide-history-fake-news-and-disinformation-new-icfj-learning-module［閲覧日 23/07/2018］

7 Kaminska, I. (2017). A lesson in fake news from the info-wars of ancient Rome. *Financial Times.* https://www.ft.com/content/aaf2bb08-dca2-11e6-86ac-f253db7791c6［閲覧日 28/03/2018］

を使って共和制から帝政ローマへ移行させることに成功した」のです[8]。

　しかし、21世紀に現れた情報の兵器化は、前代未聞のスケールです。強力かつ新しいテクノロジーはコンテンツの操作と捏造を容易にしてしまい、国家権力、ポピュリストの政治家たち、不誠実な企業によって発せられる嘘がソーシャルネットワークで批判精神の欠けた民衆にシェアされることによって劇的に増幅されています。それらのプラットフォームは、もはやコンピューターによるプロパガンダ[9]、トローリング（荒らし）[10]や荒らし集団[11]、自作自演集団ネットワーク[12]やなりすまし集団[13]の不正の温床になってしまったのです。さらに、選挙の際にそれらに便乗し不当利得を得る荒らし屋も浮上しました[14]。

　時代的背景とテクノロジー状況は異なりますが、本書で取り組もうとしている現代の現象である「情報障害」の原因と結果について、歴史は私たちに洞察を与えてくれます。この危機について微妙なニュアンスを含む内容を正しく報道するために、ジャーナリストたち、ジャーナリズムの指導者や教育者（もちろん学生も含む）は、偽情報、プロパガンダ、虚言と風刺をコミュニケーション生態系における歴史の特徴につい

8　Ibid.

9　Oxford Internet Institute's Computational Propaganda Project. http://comprop.oii.ox.ac.uk/［閲覧日 20/07/2018］を参照のこと。

10　危険性に関する事例については、本書のモジュール7を参照のこと。

11　Rappler.com (2018). Fake News in the Philippines: Dissecting the Propaganda Machine. https://www.rappler.com/newsbreak/rich-media/199895-fake-news-documentary-philippines-propaganda-machine［閲覧日 20/07/2018］

12　Gent, E. (2017). Sock puppet accounts unmasked by the way they write and post. https://www.newscientist.com/article/2127107-sock-puppet-accounts-unmasked-by-the-way-they-write-and-post/［閲覧日 19/07/2018］

13　Le Roux, J. (2017). Hidden hand drives social media smears. https://mg.co.za/article/2017-01-27-00-hidden-hand-drives-social-media-smears［閲覧日 19/07/2018］

14　Silverman, C. et al. (2018). American Conservatives Played a Role in the Macedonian Fake News Boom of 2016. Buzzfeed. https://www.buzzfeednews.com/article/craigsilverman/american-conservatives-fake-news-macedonia-paris-wade-libert［閲覧日 20/07/2018］

て学ぶ必要があります[15]。

　偽情報に対抗するためのジャーナリスティックな戦略の開発は、専門
職としてジャーナリズムの進化は比較的最近のことである一方、情報操
作は数千年前から行われていた行為であることも知った上で行われる
べきものです[16]。現代社会で規範的な役割を果たしながらジャーナリズム
が進化してくるにつれ、ニュースメディアは、真実を伝達する専門的基
準、検証方法論、さらに公共の利益に沿った倫理性を追求するジャーナ
リズムを盾にしながら、情報捏造と本来の意図を隠した攻撃を免れて活
動してきました。ジャーナリズム自体も、多くの段階を行きつ戻りつしな
がら、他の社会集団と一線を画してきました。今日、様々な「ジャーナ
リズム」が存在しても、編集上政治的または商業的な利害から独立する
ことを目指すような倫理感によって行われるコミュニケーションを実践す
るという共通点のもとで、真のニュースにおける語りの多様性を認識す
ることができます。しかし、そのような基準ができあがる以前は、大衆に
流布された情報の信憑性に関するルールはほとんどありませんでした。

　15世紀半ば以降のグーテンベルクの活版印刷技術の普及は、専門的な
ジャーナリズムの出現にとって不可欠でした。しかし、この技術はプロパ
ガンダと虚言の増幅を可能にして、時にメディア組織が加害者になるこ
ともありました[17]。放送局はプロパガンダ、虚言、なりすましの可能性を新
たなレベルに高めました。その中でも、1938年にラジオドラマ「宇宙戦

15　Posetti, J. and Matthews, A. (2018). A short guide to the history of 'fake news': A learning module for journalists and journalism educators ICFJ. https://www.icfj.org/news/short-guide-history-fake-news-and-disinformation-new-icfj-learning-module［閲覧日23/07/2018］

16　本書のモジュール3を参照のこと。

17　例えば、巨大なスケールで行われた初めてのニュース詐欺と言われる1835年の「グレート・ムーン捏造記事」を参照すること。詳しくは下記より閲覧できる。Thornton, B. (2000). The Moon Hoax: Debates About Ethics in 1835 New York Newspapers, *Journal of Mass Media Ethics*, 15 (2), pp. 89-100. http://www.tandfonline.com/doi/abs/10.1207/S15327728JMME1502_3［閲覧日 28/03/2018］

争（*War of the Worlds*）」が起こした騒動は悪名高いものでした[18]。複数の当事者が異なる立場から語るときであっても、純粋に物語を「創作する」ことや直接的に改ざんすることは、概して一般的ではなくむしろ例外的なものであり続けてきました。しかし、国際放送の出現もまた、ニュースは専門的で独立しているものであるという範囲をしばしば超えて、ニュースの情報が道具とされてしまうという事態につながるものでした。

「エイプリルフール」のジョークに踊らされた人々（半可通ジャーナリストも含めて）の長い歴史からも、私たちは何かを学ぶことができるでしょう[19]。今日でも、責任あるジャーナリズムのサービスにおいて重大な役割を果たしてきた風刺ニュースが[20]、ソーシャルメディアの利用者に誤解され、客観的な真実のニュースのように拡散されることがあります[21, 22]。昔から繰り返されてきたように、風刺サイトと称されるものが、クリックやシェアをする騙されやすい消費者を介してインターネット広告の利益を得るために設計された、より広い重層化されたネットワーク

18　Schwartz, A.B. (2015). The Infamous "War of The Worlds" Radio Broadcast Was a Magnificent Fluke, The Smithsonian. http://www.smithsonianmag.com/history/infamous-war-worlds-radio-broadcast-was-magnificent-fluke-180955180/#h2FAexeJmuCHJfSt.99 ［閲覧日 28/03/2018］

19　Laskowski, A. (2009). How a BU Prof April-Fooled the Country: When the joke was on the Associated Press, BU Today. https://www.bu.edu/today/2009/how-a-bu-prof-april-fooled-the-country/ ［閲覧日 01/04/2018］

20　Baym, G. (2006). The Daily Show: Discursive Integration and the Reinvention of Political Journalism. *Political Communication*, Taylor and Francis, Volume 22, 2005-Issue 3, pp. 259-276. https://www.tandfonline.com/doi/abs/10.1080/10584600591006492 ［閲覧日 20/07/2018］

21　Woolf, N. (2016). As fake news takes over Facebook feeds, many are taking satire as fact, *The Guardian*. https://www.theguardian.com/media/2016/nov/17/facebook-fake-news-satire ［閲覧日 01/04/2018］

22　Abad-Santos, A. (2012). The Onion Convinces Actual Chinese Communists that Kim Jong-Un is Actually the Sexiest Man Alive, *The Atlantic*. https://www.theatlantic.com/entertainment/archive/2012/11/onion-convinces-actual-chinese-communists-kim-jong-un-actually-sexiest-man-alive/321126/ ［閲覧日 28/03/2018］

の一部であるということもあります。

　これは捏造されたコンテンツだけでなく、ニュースの信憑性にも悪影響を与えます[23]。だからこそ、ジャーナリストは最初から報道の正確性を確保するために断固たる努力をしなければならないのです。また、ニュースメディア、広告、娯楽、ソーシャルメディアにおいて進化し続けるジャンルと慣例を明確かつ批判的に理解するため、受け手側もメディアと情報リテラシー[24]に関する素養を身につける必要があります。

　偽情報の背後にいる勢力は、プロのジャーナリストの発信した検証可能な情報に疑問を投げかけるだけで十分であり、ジャーナリストも幅広い視聴者も、主張の真偽について説明を求めていないということを、歴史も教えています。こうした混乱の中で、多くのニュース消費者は「事実」を自ら選んだり生産したりしなければならないと感じ、時には正当な批判から自らを守ろうとする政治家もそれに加担しています。

　2018年頃から強力かつ新しいテクノロジーが普及しました。ニュースの基準管理が限定的であるという、ソーシャルメディアやメッセージングプラットフォームの特性によって、偽りの情報を本物のように見せかける偽造や捏造が容易にできるようになってきました。また、ニュース編集の枠を超えて、音声や映像を加工し、ある個人がある場所で何かを発言したように見せかけ、それを本物の記録とすることによって[25]、ソーシャルコミュニケーション環境で拡散させることも可能になってきています。

　今日、ソーシャルメディアは、個人的なものから政治的なものまで、様々な種類のコンテンツに支えられています。政治的または商業的アク

23　このテーマの展開にはモジュール3を参照のこと。
24　モジュール4を参照のこと。
25　Solon, O. (2017). The future of fake news: Don't believe everything you see, hear or read, *The Guardian*. https://www.theguardian.com/technology/2017/jul/26/fake-news-obama-video-trump-face2face-doctored-content［閲覧日 20/07/2018］

ターとの契約のもとに、政府や広告代理店によって、明示的・非明示的に
作成された例も多くあります。その結果、無数のブロガーや、Instagramの
「インフルエンサー」、ユーチューバーらが、お金をもらっていることを公
表せずに、商品や政治家を宣伝しています。また、ネット上のフォーラム
で、ある意見を肯定したり、誰かの信用を失墜させたり、威嚇しようとす
る（多くの場合、身元を偽った）コメンテーターにも秘密裏に支払いが行わ
れています。こうした中、ジャーナリズムは存在意義を失い、正当な批判
の対象だけでなく、存在自体に対する攻撃の的にもなってしまいます。

　今、危険なのは、パルチザン（党派的）な「報道」機関やソーシャル
メディア・チャンネルを通じて広がる国内外の偽情報の「軍拡競争」が
展開され、あらゆる側の情報環境が汚染され、その結果、発信者自身が
被害に遭うことになりかねないことです[26]。偽情報キャンペーンが暴露さ
れた場合、その結果、関係者（実施機関とその政治的クライアントの両方）
に大きな損害が発生しています（最近のベル・ポッティンジャー[27, 28, 29, 30]とケ

26　Winseck, D. (2008). Information Operations 'Blowback': Communication, Propaganda
　　and Surveillance in the Global War on Terrorism, *International Communication Gazette,*
　　70 (6) , 419-441.

27　The African Network of Centers for Investigative Journalism, (2017). The Guptas, Bell
　　Pottinger and the fake news propaganda machine, TimeLive. https://www.timeslive.co.za/
　　news/south-africa/2017-09-04-the-guptas-bell-pottinger-and-the-fake-news-propaganda-
　　machine/［閲覧日 29/03/2018］

28　Cameron, J. (2017). Dummy's guide: Bell Pottinger – Gupta London agency, creator of
　　WMC, *BizNews.* https://www.biznews.com/global-citizen/2017/08/07/dummys-guide-
　　bell-pottinger-gupta-wmc［閲覧日 29/03/2018］と Segal, D. (2018). How Bell Pottinger,
　　P.R. Firm for Despots and Rogues, Met Its End in South Africa, *New York Times*, 4 Feb
　　2018. https://www.nytimes.com/2018/02/04/business/bell-pottinger-guptas-zuma-south-
　　africa.html［閲覧日 29/03/2018］

29　Haffajee, F. (2017). Ferial Haffajee: The Gupta fake news factory and me. HuffPost South
　　Africa. https://www.huffingtonpost.co.za/2017/06/05/ferial-haffajee-the-gupta-fake-
　　news-factory-and-me_a_22126282/［閲覧日 06/04/2018］

30　モジュール7を参照のこと。

ンブリッジ・アナリティカ[31,32]の事例を参照）。

　この結果、両極化が進む中で、デジタルに煽られた偽情報は、ジャーナリズムの役割を奪う危険性が生じます。さらに言えば、「公益のために共有される検証可能な情報に基づくジャーナリズム」は近年の歴史的成果であり、それは決して保証されたものではないが、操作されないように注意しなければ、それ自体が信用を失いかねません。ジャーナリズムが偽情報の媒介となれば、国民からの信頼はさらに低下し、一方ではジャーナリズム内には異なる物語があり、他方では偽情報にも異なるストーリーがあり、両者には区別はないという皮肉な見方を助長することになるでしょう。だからこそ、コンテンツの利用をめぐる係争とその様々な形態の歴史は、示唆に富んでいるのです。21世紀における「情報障害」の多面的な進展を把握することは、未曽有かつ世界的な脅威の原因と結果をよりよく理解することに役立つでしょう。そのあり方は実に多岐にわたり、国に認可された「トロール軍（荒らし屋、あおり屋）」によるジャーナリストたちへの嫌がらせから、選挙への介入、公衆衛生へのダメージ、気候変動へのリスク認知の欠如など様々な分野に至っています。

偽情報の危機へ立ち向かうための本書

　教育カリキュラムとして、本書は異なる2つのパートで構成されています。最初の3つのモジュールでは、問題の枠組みと文脈を与え、次の4つのモジュールは「情報障害」とその結果に対する対応に焦点を当てます。

31　Lee, G. (2018). Q&A on Cambridge Analytica: The allegations so far, explained, FactCheck, Channel 4 News. https://www.channel4.com/news/factcheck/cambridge-analytica-the-allegations-so-far［閲覧日 29/03/2018］

32　Cassidy, J. (2018). Cambridge Analytica Whistleblower claims that cheating swung the Brexit vote, *The New Yorker.* https://www.newyorker.com/news/our-columnists/a-cambridge-analytica-whistleblower-claims-that-cheating-swung-the-brexit-vote［閲覧日 29/03/18］

モジュール1「真実と信頼そしてジャーナリズム：なぜそれが重要なのか」[33]では、偽情報と誤情報の広範な意義と影響、そしてそれらがどのようにジャーナリズムへの信頼の危機をもたらすかについて考えることを促します。

　モジュール2「『情報障害』について考える：偽情報、誤情報、悪意のある情報の形態」[34]では、この問題を解きほぐし、問題の次元を理解するための枠組みを提供します。

　ソーシャルメディアプラットフォームがニュース領域に参入し、誰もが情報を共有できるスペースとツールを提供する以前から、21世紀には、世界のほとんどの地域で、メディアに対する脆弱な信頼は低下していました[35]。その理由は多様で複雑です。モジュール3「ニュース業界の変革：デジタル技術、ソーシャルプラットフォーム、誤情報・偽情報の蔓延」で説明するように、ニュースルームが削減される中、ニュースコンテンツへの飽くなき要求を伴う24時間365日のオンライン世界はジャーナリズムを変えました[36]。今、ジャーナリズムに新たな危機をもたらしているのは、ネット上で共有される不正なニュースの影響を与える範囲と企ての規模であり、そしてそれは、ジャーナリスト、メディア、社会への示唆を伴っているのです[37]。

　では、教育者、実務家、メディア政策立案者など、ジャーナリズムを推進する人々はどのように対応すべきなのでしょうか？　「メディアと情報リテラシーによる偽情報と誤情報との戦い」が、モジュール4の主

33　モジュール1を参照のこと。
34　モジュール2を参照のこと。
35　Edelman. (2017). 2017 Edelman Trust Barometer-Global Results. https://www.edelman. com/global-results/〔閲覧日 03/04/2018〕
36　モジュール3を参照のこと。
37　Viner, K. (2017). A mission for journalism in a time of crisis. *The Guardian*. https://www. theguardian.com/news/2017/nov/16/a-mission-for-journalism-in-a-time-of-crisis〔閲覧日 03/04/2018〕

題です[38]。

　結局のところ、プロフェッショナルなジャーナリズムを他と区別[39]するのは、検証の規律なのです。モジュール5「検証：ファクトチェック入門」[40]の焦点はここにあります。モジュール6「ソーシャルメディアの検証：情報源と映像コンテンツの評価」[41]では、デジタル技術とソーシャルメディアによってもたらされた検証や証拠に基づくジャーナリズムの課題を扱う、非常に実践的な内容となっています。

　誰でもニュースのプロセスに参加できる中、ソーシャルウェブは中央集権的なゲートキーパーとしての存在を消失させました[42]。ジャーナリズムはその影響を感じていますが、テクノロジーに起因する混乱と同様に、評価、測定、対応策を策定するのに時間がかかります。調査や具体的なベストプラクティスが現れるまでには、必然的にキャッチアップの期間が必要です。偽情報は実にグローバルな問題であり、政治的な領域を超え、気候変動やエンターテインメントなどあらゆる情報の側面まで拡大されています。しかし、今日まで報告された多くの事例研究、初期対応、研究やツールのための資金援助などは、早期より米国から提供されています。米国はグローバルかつ巨大なテクノロジー企業が本社を置く国であり、ドナルド・トランプ（元）大統領はメディア機関とジャーナリストたちを「フェイクニュース」の擁護者であると非難する状況がそうした動きと資金援助を促しています。

　世界的な情勢は日々変化しており、特に各国からの対応については、その多くがこの問題に取り組むための規制や立法を検討しています。巨

38　モジュール4を参照のこと。

39　Kovach, B. & Rosenstiel, T. (2014). *The elements of journalism: What news people should know and the public should expect*. New York: Crown Publishers.

40　モジュール5を参照のこと。

41　モジュール6を参照のこと。

42　Colón, A. (2017). You are the new gatekeeper of the news. The Conversation. https://theconversation.com/you-are-the-new-gatekeeper-of-the-news-71862 [閲覧日 03/04/2018]

大なハイテク企業も、自社のプラットフォームから偽情報や誤情報を排除しようとする努力を強めています。

　本書の作成中、欧州委員会は、偽情報と誤情報が社会全体に与える悪影響への懸念[43]についての調査[44]に基づいて報告書[45]を作成しました。オーストラリア、フィリピン、カナダ、フランス、英国、ブラジル、インド、インドネシアなどの国々の政治家と公共政策機関も、この問題について対応を検討していました[46]。立法について、最初に動いたのはドイツです。ドイツは「フェイクニュース」とヘイトスピーチといった「違法なコンテンツ」が報告されてから、24時間以内に削除しないデジタルプラットフォーム責任者に罰金を科する新しい法律を制定しました[47]。2018年4月、マレーシア国会も反フェイクニュース対策法案を可決したが、同年の8月に廃止しました[48]。（ジャーナリズム研究機関であ

43　European Commission (2017). Next steps against fake news: Commission sets up High-Level Expert Group and launches public consultation. http://europa.eu/rapid/press-release_IP-17-4481_en.htm［閲覧日 03/04/2018］

44　European Commission (2018). Final report of the High-Level Expert Group on Fake News and Online Disinformation. http://ec.europa.eu/newsroom/dae/document.cfm?doc_id=50271［閲覧日 03/04/2018］

45　Ansip, A. (2017). Hate speech, populism and fake news on social media – towards an EU response. https://ec.europa.eu/ commission/commissioners/2014-2019/ansip/announcements/statement-vice-president-ansip-european-parliament-strasbourg-plenary-debate-hate-speech-populism_en［閲覧日 03/04/2018］

46　Malloy, D. (2017). How the world's governments are fighting fake news. ozy.com. http://www.ozy.com/politics-and-power/how-the-worlds-governments-are-fighting-fake-news/80671［閲覧日 03/04/2018］

47　Federal Ministry of Justice and Consumer Protection. (2017). Act to Improve Enforcement of the Law in Social Networks. Network Enforcement Act, netzdg. http://www.bmjv.de/DE/Themen/fokusthemen/netzdg/_documents/netzdg_englisch.html［閲覧日 03/04/2018］

48　マレーシアでは、自由な表現を抑圧するために使われた「フェイクニュース法」が廃止された。The Guardian. https://www.theguardian.com/world/2018/aug/17/malaysia-scraps-fake-news-law-used-to-stifle-free-speech［閲覧日 18/08/2018］

る）ポインター（Poynter）は各国の対応策をまとめています[49]。

　表現の自由を擁護する活動家たちは、そのような法案が新しいテクノロジーによってまさに実現された情報と意見の民主化を損ねることを危惧しています。国によっては、批判的なメディアを黙らせるために法律が使われるかもしれません[50]。

　表現の自由を強く信じ、自らを民主主義社会に不可欠な支援者と考えてきた多くのジャーナリストにとって、「情報障害」にどう対処するかは複雑な問題です[51]。それはまた、私的な問題でもあります。ジャーナリスト、特に女性に対するオンラインでの攻撃はあまりにも多く、モジュール7「ネット上の誹謗中傷に対抗する：ジャーナリストとその情報源が標的とされた場合」で概説するように、多くの場合、ジャーナリズムを冷笑しつつ、身体的、心理的な危険をもたらしているのです[52]。

　偽情報と誤情報は、ジャーナリストの評判や安全を脅かすだけではありません。それらはジャーナリストの目的と効果に疑問を投げかけ、ジャーナリズムを劣化させ続けることで、市民的な言説に不利益をもたらします。情報の基準と社会的な適切性を改善する作業は、将来のジャーナリストたちだけでなく、社会全体の利益になります。本書は、この新しい社会背景の中で、研究者、学生、実践者たちが開放的な社会と民主主義のために、ジャーナリズムがより良い役割を遂行できる方法について思考し、議論することを促します。なぜなら、

49　Funke, D. (2018). A guide to anti-misinformation actions around the world (Poynter). https://www.poynter.org/news/guide-anti-misinformation-actions-around-world［閲覧日13/07/2018］

50　Nossel, S. (2017). *FAKING NEWS: Fraudulent News and the Fight for Truth.*［ebook］PEN America. https://pen.org/wp-content/uploads/2017/10/PEN-America_Faking-News-Report_10-17.pdf［閲覧日 03/04/2018］

51　McNair, B. (2009). Journalism and Democracy. In: K. Wahl-Jorgensen and T. Hanitzsch, ed., *Handbook of Journalism Studies*, 6th ed. New York: Routledge.

52　モジュール7を参照のこと。

> 「報道機関と民主主義が正常に機能するためには、ジャーナリズムの過ち
> に対する批判と透明性が不可欠です。また、我々が嘘や欺瞞を識別でき
> る能力も求められます。そうでなければ、本当の情報はフェイクに塗り
> 替えられ、作られた（ゴミのような）情報は事実として提示されることに
> なります」[53] クレイグ・シルバーマン

報道倫理と自主規制について

　倫理的かつ信頼できるジャーナリズムの専門的な基準を確立すること
は、偽情報と誤情報に対応する重要な手段です。人々がジャーナリズム
的に考えるための指針となる規範や価値観は、長年にわたって進化し、
ジャーナリズムに独特の使命と手口を与えてきました。そして、これら
は検証可能な情報と情報に基づいたコメントを公共の利益のために共有
することを支持するものです。ジャーナリズムの信頼性を支えているの
は、これらの要素です。そのため、このハンドブックには、これらの要
素が織り込まれています。

　この文脈で、ロンドン・スクール・オブ・エコノミクス（London School
of Economics）のチャーリー・ベケット（Charlie Beckett）教授が、「フェイ
クニュース」の危機がジャーナリズムにもたらす潜在的価値としてまと
めていることを引用する価値があります。

> 「フェイクニュースは、ここ数十年で最高の出来事です。主流の質の高い
> ジャーナリズムが、専門知識、倫理、関与、経験に基づく価値を持って
> いることを示す機会を与えてくれるのです。より透明で、より適切で、
> 人々の生活に付加価値を与えるための警鐘となります。事実の確認、神
> 話の破壊、そしてそれらを総合したフェイクに代わるものを作り出す、

53　Silverman, C. (2018). I Helped Popularize The Term "Fake News" And Now I Cringe
　　Every Time I Hear It. BuzzFeed. https://www.buzzfeed.com/craigsilverman/i-helped-
　　popularize-the-term-fake-news-and-now-i-cringe［閲覧日 03/04/2018］

███ 新しいビジネスモデルを開発することができるのです」[54]

　ジャーナリストは「真実の語り手」であることを求めているが、常に「真実」を保証することはできません。しかし、事実を正しく伝える努力と、事実を正確に反映したコンテンツを制作することは、ジャーナリズムの基本原則です。しかし、デジタル時代における倫理的なジャーナリズムとはどのようなものでしょうか？

　透明な実践と説明責任を重視する倫理的なジャーナリズムは、「情報障害」の時代に事実と真実を守る戦いにおいて、重要な武器となるものです。報道ジャーナリストは独立した声でなければなりません。これは、公式、非公式にかかわらず、特別な利害関係者のために行動しないことを意味します。また、透明性を高めるために、利害が対立する可能性のあるものはすべて認め、公的に宣言することを意味します。コロンビア大学トゥ・デジタル・ジャーナリズム・センター（Tow Center for Digital Journalism）のエミリー・ベル（Emily Bell）教授が説明するように、プロのジャーナリズムの核となる価値観は次のようなものです。

「ニュースが正確であることを確認し、正確でない場合には説明責任を果たし、記事や情報の出所について透明性を保ち、政府、圧力団体、商業的利益、警察などが威嚇、脅迫、検閲を行った場合にはそれに立ち向かうことです。逮捕や情報公開から情報源を保護すること、法律を破るに足る強力な公益的防御があることを知り、自分の記事と情報源を守るために刑務所に入る覚悟を持つこと。何かを公表することが非倫理的である場合、それを知ること、プライバシーに対する個人の権利と、より広

54　Beckett, C. (2017). 'Fake news': The best thing that's happened to Journalism at Polis. http://blogs.lse.ac.uk/polis/2017/03/11/fake-news-the-best-thing-thats-happened-to-journalism/［閲覧日 04/03/2018］

　悪徳政治、「情報障害」の危機、ネット上のヘイトの顕在化、「コンテンツマーケティング」の蔓延、広告、広報の独りよがりな空回りに直面しても、報道機関とジャーナリストは、財政危機や信用危機と戦いながら、持続可能な実践モデルの中心柱として倫理的ジャーナリズムを重視すべきなのです。民主主義国家もまた、ジャーナリズムを擁護し、公共の利益のために正当化される場合にはジャーナリズムとその情報源を保護する役割を担うべきです。

　ジャーナリズム、特に報道を他のコミュニケーションと区別するのは、公共の利益のための情報収集と検証を支援するために作られた倫理規定[56]です。このことは、コミュニケーションの民主化だけでなく、偽情報、誤情報、偽りと乱用が絶え間ないデジタル時代において特に重要です。このような状況において、倫理的ジャーナリズムは、より重要なものとなっています。それは、視聴者と有意義な関係を築くために、信頼と説明責任を重視したジャーナリズムのモデルを確立するための枠組みとなるからです。

　正確であること、説明責任を果たすこと、そして、独立した報道への信頼は、視聴者を獲得し、共有された事実に基づいて議論が行われる共通の公共圏を可能にするために不可欠です。信頼できるコンテンツに関与し、それを共有する情報通の視聴者は、偽情報や誤情報の拡散を防ぐためには必要不可欠な存在なのです。

　変化するメディア環境のなかでこれらの核心的価値を定着させ、強化

55　Bell, E. (2015). Hugh Cudlipp Lecture (Full text). *The Guardian*. https://www.theguardian.com/media/2015/jan/28/emily-bells-2015-hugh-cudlipp-lecture-full-text［閲覧日 01/04/2018］

56　例えば、the Australian Media, Entertainment and Arts Alliance's 'Journalist Code of Ethics'. https://www.meaa.org/ meaa-media/code-of-ethics/［閲覧日 04/03/2018］

するために、報道機関やメディア組織は行動規範を採用・適応させ、一般の人々に説明責任を果たせるような仕組みを作っています。記者会見、読者エディター、編集方針、社内オンブズマンなどは、こうした自己規制の仕組みの特徴なのです。このような構造により、専門的なピアーレビューの中で誤りを特定することができ、誤りを公に認めて修正を求めることを手助けし、公共の利益のために出版する基準に関する専門的な規範を厳密化するのに役立ちます。

　ニュースメディアの外部規制を支持する批評家からは「歯のない虎」と揶揄されることも多いが、こうした仕組みは偽情報危機の状況下では重要な役割を果たします。プロの説明責任と透明性の強化に役立ち、それによってジャーナリズムに対するコミュニティの信頼を強めることができます。また、正確さと信頼性を実現し、偽情報、プロパガンダ、広告、広報と区別するために、検証を行う規律を採用するジャーナリズムの特徴を示すのに役立ちます。

「ジャーナリスト」からジャーナリズムへ

　ジャーナリズムの倫理が、キャリアや職業・専門職のビジネスに限定されていた時代は（必ずしも十分に尊重されていなかったとしても）、過去のものとなったのです。

　このことは、国連も含めて広く認識されており、例えば国連事務総長による2017年の「ジャーナリストの安全に関する報告書A/72/290」には、次のように記されています[57]。

　「ジャーナリスト」という用語には、ジャーナリストやその他のメディア関係者が含まれます。ジャーナリズムは、文書CCPR/C/GC/34の第44

57　以下からアクセスできる。https://digitallibrary.un.org/record/1304392?ln=en［閲覧日16/06/2018］

段落で定義されています。そこでは、「プロのフルタイム記者やアナリスト、ブロガー、印刷物やインターネットなどで自費出版を行うその他の人々を含む、幅広い関係者が共有する機能」として定義されています。[58]

　その延長線として、ユネスコ総会では「ジャーナリスト、メディア従事者、そしてソーシャルメディアの製作者がオンラインとオフラインの両方において大量なジャーナリズム的なコンテンツを発信しています」と言及されました（決議39, 2017年11月）[59]。

　2012年に国連システム事務局長調整委員会（United Nations System Chief Executives Board for Coordination, CEB）が承認した「ジャーナリストの安全と免責の問題に関する国連行動計画」では、次のように記しています。「ジャーナリストの保護は、正式にジャーナリストとして認められた者に限定されるべきではなく、コミュニティメディアの労働者や市民ジャーナリストなど、視聴者に到達する手段として新しいメディアを利用している可能性のあるその他の者も対象とすべきです」[60]。

　こうした観点からは、ジャーナリズムは、公共の利益のために検証可能な情報を共有する倫理的基準に導かれた活動であると考えることができます。

　ジャーナリズムを行っていると自称する者は、職業的な意味でのジャーナリストよりも広い範囲に及ぶかもしれません。逆に、ジャーナリストとして雇用されている者、あるいはジャーナリストと自認する者が、時として、あるいは組織的に、公共の利益のために正確、公正、専

58　国連文書A/HRC/20/17の第3から第5段落、A/HRC/20/22と訂正1の第26段落、A/HRC/24/23の第9段落、A/HRC/27/35の第9段落、A/69/268の第4段落、A/HRC/16/44と訂正1の第47段落も参照のこと。

59　Records of the General Conference. 39th session. Paris, 30 October –14 November 2017. http://unesdoc.unesco.org/images/0026/002608/260889e.pdf［閲覧日 02/07/2018］

60　ジャーナリストたちの安全と免責に関する国連行動綱領。1CI-12/CONF.202/6. https://en.unesco.org/sites/default/files/un-plan-on-safety-journalists_en.pdf［閲覧日 03/11/2017］

門的かつ独立したジャーナリズムとして数えられるコンテンツを作成するには至らないことがあるかもしれません。重要なのは、形式的な立場やジャーナリストを自称するかどうかではなく、制作されるコンテンツの特徴なのです。

　ジャーナリズムは表現の自由の行使に基づくものであり、それはすべての個人の権利とはいえ、他の表現形式（詩、広報、広告、偽情報など）とは異なる特定の基準を遵守することを自らに課している特殊な活動なのです。これらの基準は、専門的なジャーナリズムの実践倫理と緊密に結びついているのです。

透明性こそ、客観性の新しい基準なのか

　客観性にはいろいろな意味があります。主観からの距離という意味において、専門的なジャーナリズムでは議論を呼ぶテーマなのです。

　それに向けた努力は行われるけれど、実現することは稀であり、残虐性や非人道性を前にしては常に望ましいとは限りません（例えば、公正で独立した報道は、戦争犯罪で有罪判決を受けた者の主張とそれを生き延びた者の主張に同じ道徳的信用を与えることはありません——後者でさえその真実性を調査しないでよいということではありません）。しかし、**報道における公正さ、独立性、正確性、文脈性、透明性、情報源の保護、洞察力**[61]は、信頼性、信憑性、そして確信を築くのです。

　2009年、ハーバード大学所属の研究者、デイビッド・ワインバーガー（David Weinberger）博士は、「透明性こそが新しい客観性」[62]だと宣言しました。同年、BBCの国際ニュース部門の前ディレクターであるリチャード・サムブルーク（Richard Sambrook）は、「新しいメディア時代」において信頼をもたらすのは客観性ではなく、透明性であると説明しました。

61　次節の「基本理念」を参照のこと。

62　Weinberger, D. (2009). Transparency is the new objectivity. http://www.hyperorg.com/
blogger/2009/07/19/transparency-is-the-new-objectivity/［閲覧日 28/03/2018］

> 「しかし、読者やリスナー、視聴者にとっては、ニュースがどのように作られ、情報がどこから来るのか、そしてどのように機能しているのかを知ることが同じくらい重要なのです。ニュースが作られる過程は、ニュースそのものを伝えることと同じくらい重要なのです」[63]

相違点

これまで専門的なジャーナリズム実践の核心的な要素を示しましたが、ジャーナリズムには唯一の形態しか存在しないわけではありません。これらの目的は、様々なジャーナリズムのスタイルやストーリーで達成することができます。それぞれのストーリーは、異なる価値観や公正さ、文脈、関連する事実などの様々な視点に基づく、異なる物語を体現しています。

例えば、メディア各社（media outlets）は、あるニュース記事に対して様々な見解を示すことがありますが（中には無視するところもあります）、「情報ビジネス」から偽情報や誤情報の領域に踏み込むことはしません（次節「モデルカリキュラムの組み方」、モジュール1、2、3参照）。

しかしながら、コンテンツがジャーナリズムの原則から逸脱している場合、特にニュースを装っている場合は、我々はそれをもはやジャーナリズムではなく、特殊な形態の偽情報として扱っていることになります。

この「はじめに」の節では、「フェイクニュース」論争が提起した様々な問題を取り上げ、この後に続く説明、分析、学習モジュールのための文脈を提供しました。

63　Bunz, M. (2009). How Social Networking is Changing Journalism. https://www.theguardian.com/media/pda/2009/sep/18/oxford-social-media-convention-2009-journalism-blogs［閲覧日 28/03/2018］

モデルカリキュラムの組み方

ジュリー・ポセッティ

　このコースは、発見的教育モデル[1]を採用します。つまり、これは利用者が自らの経験を学習プロセスに持ち込むことを奨励するという意味です。ここで示す学習内容は、あらかじめ決められたものではなく、国や文化、組織、業界など、それぞれの教育や学習の状況に合わせて適応させることができますし、そうする必要があります。グローバルに通用するように努力はしていますが、限界はつきものです。著者らは、教育者、講師、そして学習者らに、自分の地域や母国語での経験を反映したケーススタディや事例、情報源を持ち込むことを強く奨励します。

　このような観点から、本書の活用方法としては、以下のようなものが考えられます。

　▷ジャーナリズム、コミュニケーション学、デジタルメディア、メディア研究など既存の高等教育機関の学科・専攻の総合科目・テーマとして扱うことができます。メディアやコミュニケーション学の問題に関連する政治学や社会学の選択科目として提供することもできます。

　▷既存科目やテーマ（例えば、メディア史、メディア倫理、ニュース取材と検証、メディア批評、デジタルメディア実践、ソーシャルジャーナリズムなど）に関わる補充的なリソースとして活用することができます。ケーススタディや講義資料、推薦図書などの多くは、急速に浮上した偽情報の危機を取り扱う最新のコンテンツとして、既存の科目とテーマに取り入れることができます。

1　Banda, F. (Ed) (2015). *Teaching Journalism for Sustainable Development: New Syllabi.* Paris: UNESCO. http://unesdoc.unesco.org/images/0023/002338/233878e.pdf ［閲覧日 28/03/2018］

▷ニュース組織、業界団体、メディア開発団体にいるジャーナリズムの実践者たちや、ジャーナリスト、人権活動家向けの独立的なテーマや総合コースとして使うことができます。

▷ジャーナリズムのトレーニングマニュアルとして、各自の目的に合わせてこれらのモジュールを活用することができます。推奨図書とケーススタディをより適した資料として、ジャーナリスト組織に提供することができます。

▷業界団体、報道機関、メディア開発団体による一連のブログ発信などの知識共有に活用することができます。

▷ジャーナリストたちの知的啓発と専門能力の開発のための読み物として有効です。例えば、検証済みの多くのテクニックを「自律的学習（self-directed learning）」で活用できます。また、ケーススタディによっては、より複雑な背景を持つローカルなストーリーのアイデアを探求することができ、より洗練された報道のためのインスピレーションとなる可能性もあります（例えば、ソーシャルメディアを通じて偽情報と誤情報が広まる状況として、地元のジャーナリストを騙したデマの事例などが、国際的なデマの歴史と照らし合わせながら、紹介されます）。

▷この新しい分野の研究と実践が拡大するにつれて、読み物、リソース、ツールのコレクションが成長するように設計されています。

基本理念

プロセスの透明性と倫理基準の明確な適用に助けられ、検証されたコンテンツの明確化と信頼構築に貢献することが、今日のジャーナリズムの特徴的な役割です。以下の7つの原則は、程度の差こそあれ、倫理に関するものであり、本コースの実施に際して、演習、議論、評価の指針となるべきものです[2]。

2　ここで示す7つの原則の5つは、報道倫理ネットワーク（Ethical Journalism

▷ **正確性**：ジャーナリストは常に「真実」を保証することはできませんが、正確であること、事実を正しく把握することは、ジャーナリズムの基本原則であることに変わりはありません。

▷ **独立性**：ジャーナリストは独立した声でなければなりません。これは、透明性の観点から、公式・非公式にかかわらず、特別な利害関係者のために行動することはせず、利害の衝突になりそうなことはすべて申告することを意味します。

▷ **公平性**：情報、出来事、情報源、そしてそのストーリーを公正に報道するには、予断を持たずに慎重に情報を取捨選択し、重み付けし、評価することが必要です。背景を説明し、様々な競合する視点を示すことで、報道に対する信頼と信用が生まれます。

▷ **守秘義務**：調査報道の基本的な考え方のひとつは、（ごく一部の例外を除き）情報源の秘密を保護することです。これは、情報源（内部告発者を含む）の信頼を維持し、場合によっては、情報源の安全を確保するために不可欠です[3]。

▷ **人道主義**：ジャーナリストの発信は必然的に誰かを傷づける可能性があります（例えば、政治家の腐敗を良質の調査報道で明かしたことによって当事者には屈辱的な経験をさせることなど）。それ故、ジャーナリズムが他人の人生に与える影響を考慮しなければなりません。公共の利益がその判断の基準です[4]。人道主義とは、例えば、社会正義を強く意識したジャーナ

Network）の「ジャーナリズムの5つの核心原則」を参照した。http://ethicaljourna lismnetwork.org/who-we-are/5-principles-of-journalism［閲覧日 22/4/2018］ところが、ここでは「不偏性（impartiality）」より「公平性（fairness）」が好まれる。なぜなら、「不偏性」は客観性と混同しやすく、すべての情報源を事実と同様に扱う必要があると誤解されることがよくある。「客観性」がジャーナリズムの中で論争を呼び起こしている理由と同じく、「不偏性」も問題のある概念である。

3 Posetti, J. (2017). *Protecting Journalism Sources in the Digital Age.* Paris: UNESCO. http://unesdoc.unesco.org/images/0024/002480/248054E.pdf［閲覧日 28/03/2018］

4 デジタル時代における共感概念を用いた新しい倫理モデルについては以下を参照のこと。Shelton, A. G., Pearson, M. & Sugath, S. (2017). *Mindful Journalism and News*

リズムのスタイルを採用するとまでいかなくても、不利な立場にある集団が直面する問題に配慮することです。

▷ **説明責任**は、プロフェッショナリズムと倫理的ジャーナリズムの確かな証しです[5]。誤りを速やかに、明確に、誠実に訂正し、視聴者の懸念に耳を傾け[6]、それらに対応することです。このような慣行は、自主的な職業行動規範に基づいてジャーナリズムの責任を問う、報道機関や自主規制組織の手引書に示されています。

▷ **透明性**の確保は、説明責任を果たし、ジャーナリズムに対する信頼の醸成と維持に役立ちます[7]。

このような背景から、ジャーナリズムの独立性とともに、メディアの自由と多元性の問題も重要です。ジャーナリズム全体が民主主義と開かれた社会の持続可能性に貢献できるとすれば、そのためには、機関の多元性とスタッフ、情報源、研究資料の多様性が不可欠です。

コミュニティラジオやソーシャルメディアなどの参加型メディアもまた、代表性の低いグループや不利な立場にあるグループの声がニュース作りの周辺に追いやられないようにするために重要です。多元主義とは、倫理的なジャーナリズムの実践の中で様々な物語の妥当性を認めること、一方で偽情報、プロパガンダ、その他の専門的な基準から外れ

Ethics in the Digital Era: A Buddhist Approach. Routledge, London. https://www.crcpress.com/Mindful-Journalism-and-News-Ethics-in-the-Digital-Era-A-Buddhist-Approach/Gunaratne-Pearson-Senarath/p/book/9781138306066［閲覧日 01/04/2018］

5 http://ethicaljournalismnetwork.org/what-we-do/accountable-journalism［閲覧日 22/04/2018］を参照のこと。

6 Locker, K. & Kang, A. (2018). Focused listening can help address journalism's trust problem, at American Press Institute. https://www.americanpressinstitute.org/publications/focused-listening-trust/［閲覧日 28/03/2018］

7 Aronson-Rath, R. (2017). Transparency is the antidote to fake news. NiemanLab, December 2017. http://www.niemanlab.org/2017/12/transparency-is-the-antidote-to-fake-news/［閲覧日 15/06/2018］

るタイプのコンテンツを識別することの双方を意味します（モジュール1、2、3を参照）。

考えるための問い

偽情報、誤情報、そしてプロパガンダが蔓延する世界における倫理的なジャーナリズムの実践に関する議論は、次のような疑問から始めると効果的でしょう。

▷ デジタル時代におけるジャーナリズムとはいったい何でしょうか（この質問は「誰がジャーナリストなのか」という問いから、現代のジャーナリズムをよりニュアンス豊かに理解するための会話へ移してくれます）。

▷ ジャーナリズムと、オン・オフラインを問わない広範なコンテンツの作成・公開（広告、マーケティング、広報、偽情報、誤情報を含む）を分けるものは何でしょうか。

▷ ジャーナリズムの実践者は、誰の利益のために奉仕すべきなのでしょうか。

▷ ジャーナリズム実践者は自ら制作・発信したコンテンツに責任をとるべきなのでしょうか。責任をとるなら、なぜ、誰に対してなのでしょうか。責任をとらないならなぜとらないのでしょうか。

▷ ジャーナリズムの実践者は、情報源、対象者、視聴者に対してどのような倫理的義務を負っているのでしょうか。

▷ 「情報障害」の文脈の中で、ジャーナリズムの実践者が今、考えなければならない新たな倫理的ジレンマとは何でしょうか。

評価基準

本書の全体的な目的は、学生ジャーナリスト、プロのジャーナリス

ト、その他「ジャーナリズム行為」を行う人々の批判的思考能力を深め、防御を強化することです。

　正確さと検証の基準は、基本的な倫理的価値観の遵守、研究の深さ、批判的分析とともに、主要な評価基準として取り上げられるべきです。

　理論的な課題に対する推奨される評価基準：

　　▷正確性と検証（例：引用した資料が正確に表現され、適切な検証方法を用いているかなど）

　　▷十分な取材（例：参加者は、自らの主張・発見を裏付けるために、どの程度、強力で関連性の高いデータ・情報源を探し求めたか）

　　▷議論や分析の質（議論や分析がどの程度オリジナルで洗練されているか）

　　▷文章表現（誤字脱字、文法、句読法、構造）

　　▷小論文・レポートは、モジュールの学習成果をどの程度効果的に示しているか

　実践的／ジャーナリスティックな課題に対する推奨される評価基準：

　　▷正確性と検証（例：引用した資料が正確に表現され、適切に示されているか、適切な検証方法を用いているかなど）

　　▷十分な取材（例：参加者は、自らの主張・発見を裏付けるために、どの程度、強力で関連性の高いデータ・情報源を探し求めたか）

　　▷批判的分析（例：参加者が聴衆のためにどれだけ思慮深く重要な問題を掘り下げているか）

　　▷オリジナリティ

　　▷物語性（例：ストーリーや作品が、読者や視聴者、リスナーにどのような影響を与えるか）

　　▷制作価値（例：オーディオ／ビデオ編集やマルチメディア要素の巧拙）

　　▷文章表現（誤字脱字、文法、句読法、構造）

　　▷専門職の規範に示される基本的な倫理的価値観の遵守

発信形態

　これらのモジュールは、対面式であれ、オンラインであれ、どちらでも教えられるように設計されています。また、多くのレッスンでは、オンライン（Moodle などの学習プラットフォーム経由、または Facebook グループなどを使用）であっても、対面であっても、参加者は共同学習環境を利用することが有益であると考えられます。

　ほとんどの授業は 2 部構成で、理論的な学習（セミナー、リーディング、講義によるプレゼンテーションなど）を行い、実践的な演習（ワーキンググループによる検証課題など）で補うというモデルになっています。通常、60 分から 90 分程度の理論的学習と、90 分から 2 時間程度のワークショップかチュートリアルで成り立っています。これらのセッションは、関係機関の教育／学習の枠組みに応じて、拡大、縮小、分割、及び／または複数の日にわたって行うことができます。

　各モジュールには課題が設けられています。

　講師やインストラクターは、可能な限り、業界の実務家や専門家と対話形式の講義やフォーラムに参加し、最新のケーススタディ、問題、議論をカリキュラムに取り入れるよう推奨されています。さらに、コースデザイナーは、講師／インストラクターが地元／地域の、言語的、文化的に関連した教材や事例を授業に取り入れることを推奨しています。

教材と情報リソース

　講師と参加者はインターネットに接続する必要があり、学術データベースや Google Scholar にアクセスできることが望ましいでしょう。全般的な学習成果の実践に関連する追加の学習リソースの主なサイトは、

First Draft News[8]にあります。

　参考：本書で提供するコンテンツとリソースの著作権はカリキュラム
の編集者と著者たちに属することを適切に示す必要があります。

教育学的アプローチ

　この専門的なモデルコースは、2007年からユネスコが発表している
ジャーナリズム教育のためのいくつかのモデルカリキュラムに続くも
のです[9]。教育的アプローチは、ユネスコの「教師のためのメディアと情
報リテラシーカリキュラム」[10]と「ジャーナリストの安全に関するモデル
コース」[11]も参考にしており、講師は以下のことを推奨し、実践してい
ます。

▷課題探究型アプローチ

▷問題解決型学習（PBL: Problem-based Learning）

▷科学的探究

▷事例研究（ケーススタディ）

8　https://firstdraftnews.com/［閲覧日 28/03/2018］

9　*UNESCO's Model Curricula for Journalism Education (2007).* http://unesdoc.unesco.org/
images/0015/001512/151209E.pdf［閲覧日28/03/2018］。*UNESCO's Model Curricula
For Journalism Education: a compendium of new syllabi (2013).* http://unesdoc.unesco.
org/images/0022/002211/221199E.pdf［閲覧日 28/03/2018］と*Teaching Journalism for
Sustainable Development: new syllabi (2015).* http://unesdoc.unesco.org/images/0023/002
338/233878e.pdf［閲覧日 28/03/2018］も参照のこと。

10　Wilson, C., Grizzle, A., Tuazon, R., Akyempong, K. and Cheung, C. (2011). *Media and
Information Literacy Curriculum for Teachers.* [ebook] Paris: UNESCO. http://unesdoc.
unesco.org/images/0019/001929/192971e.pdf［閲覧日 28/03/2018］

11　UNESCO (2017). *Model Course on Safety of Journalists: A guide for journalism
teachers in the Arab States.* http://unesdoc.unesco.org/images/0024/002482/248297e.pdf
［閲覧日 28/03/2018］

▷協同学習

▷テキスト分析

▷文脈分析

▷翻訳

▷シミュレーション

▷制作

さらに、このカリキュラムを提供する講師は、ジャーナリスティックな「プロジェクト型学習」（ジャーナリスティックなコンテンツ制作の過程でスキルの適用と検証を行い、学習成果を上げるアプローチ）の概念を探求するよう推奨されます[12]。また、学習者は、偽情報に対する迅速かつ速報性のある口コミ効果の高い切り返し文を作成することがどんな潜在的可能性をもつか認識し、この方法を実践するための場を設けられるべきです[13]。

12　Posetti, J. & McHugh, S. (2017). *Transforming legacy print journalism into a successful podcast format: An ethnographic study of The Age's Phoebe's Fall.* コロンビアのカルタナで開催された国際メディア・コミュニケーション研究者会議で発表された査読付き会議論文（2017年7月18日）。

13　ハッシュタグを用いた興味深い事例は以下から閲覧できる。https://www.facebook.com/hashtagoursa/videos/679504652440492/［閲覧日 15/06/2018］

真実と信頼そしてジャーナリズム：

なぜそれが重要なのか

シェリリン・アイアトン

MODULE 1

はじめに

　ソーシャルメディアが登場するかなり以前から、世界各地でメディアとジャーナリズムの信頼性の低下は見られていました[1]。この傾向は、いろいろな社会で共通して見られる既存の制度への信頼の低下と切り離すことができません。ところが、ニュースのようになりすましてソーシャルメディアを通じて大量に拡散される偽情報と誤情報は、ジャーナリズムの評判をさらに低下させました。このことはジャーナリスト、ニュースメディア、市民と開かれた社会のあり方に影響を与えています[2]。

　ソーシャルメディアやインターネットのような、誰にもただで開放され、速やかに情報を拡散させることができる空間では、誰でも発信者になれます。その結果、市民は真実と嘘を区別することが非常に困難となりました。こうした状況下では、人々はシニシズムと不信に支配されてしまいます。極端な見方、陰謀論、ポピュリズムは繁盛し、かつては認められていた真実や制度に疑問が投げかけられるようになりました。そのような世の中で、ニュース報道局は、真実の構築に寄与できるゲートキーパー[3]という、昔からの役割を遂行することが難しくなりました。それと同時に、積極的な偽情報と誤情報を含む「戦略的コミュニケーション」と「情報操作」という新しいマーケットの浮上が、情報生態系において主な側面になってきました[4]。

1　Edelman. (2017). Edelman Trust Barometer-Global Results. https://www.edelman.com/global-results/ ［閲覧日 03/04/2018］

2　Viner, K. (2017). A mission for journalism in a time of crisis. *the Guardian.* https://www.theguardian.com/news/2017/nov/16/a-mission-for-journalism-in-a-time-of-crisis ［閲覧日 03/04/2018］

3　Singer, J. (2013). User-generated visibility: Secondary gatekeeping in a shared media space. *New Media & Society,* 16 (1) , pp.55-73. https://pdfs.semanticscholar.org/0d59/6a002c26a74cd45e15fbc20e64173cf2f912.pdf ［閲覧日 03/04/2018］

4　ここで挙げられた事例は以下を参照のこと。Gu, L; Kropotov, V and Yarochkin, F. (nd). *The Fake News Machine How Propagandists Abuse the Internet and Manipulate the*

「情報障害」の規模と社会への影響が具体化し始めた今、ソーシャルメディアの立役者たちでさえも懸念を抱いているようです。

Facebookのプロダクトマネージャーであるサミド・チャクラバルティ（Samidh Chakrabarti）は、次のように述べています。

「ソーシャルメディアが民主主義に与える影響について一つの基本的な真実があるとすれば、それは良くも悪くも人間の意図を増幅させるということです。最良の場合、それは自分を表現し、行動を起こすことができるのです。最悪の場合、誤った情報を拡散させ、民主主義を腐敗させることになります」[5]

　この問題に取り組むには、大小様々な介入が必要であることが明白です。方向性の一つは、規制によって問題を解決しようとすることであり、多くの国がこの道を選んでいます[6]。

　しかし、表現の自由を擁護する人々は、このことは、新しいテクノロジーが可能にした公開性と参加可能性を損ないかねないと警告しています[7]。特に、権威主義的なリーダーが権力を握った場合、彼らに関する批判的な報道に対して「フェイク」だと決めつける強力で合法的な手段を

Public. https://documents.trendmicro.com/assets/white_papers/wp-fake-news-machine-how-propagandists-abuse-the-internet.pdf［閲覧日 16/06/2018］もう一つの事例が以下で発表されている。Data & Society Research Institute, New York (2017). Media Manipulation and Disinformation Online. https://datasociety.net/output/media-manipulation-and-disinfo-online/［閲覧日 15/06/2018］

5　Chakrabarti, S. (2018). Hard Questions: What Effect Does Social Media Have on Democracy? Facebook Newsroom. Newsroom. fb.com. https://newsroom.fb.com/news/2018/01/effect-social-media-democracy/［閲覧日 03/04/2018］

6　Funke, D. (2018). A guide to anti-misinformation actions around the world. Poynter. https://www.poynter.org/news/guide-anti-misinformation-actions-around-world［閲覧日 22/05/2018］

7　Nossel, S. (2017). *Faking News: Fraudulent News and the Fight for Truth.*［ebook］PEN America. https://pen.org/wp-content/uploads/2017/10/PEN-America_Faking-News-Report_10-17.pdf［閲覧日 03/04/2018］

与えることになりかねません。もう一つの選択肢は、市民社会と企業の
イニシアティブが提案するもので、視聴者により分別をつけさせ、情報
を解釈し評価するためのツールを提供することに重点を置いています。
南アフリカ共和国[8]やメキシコ[9]など、多くの例が示しているように、
ファクトチェック組織は増えつつあります（本書にも説明されています）。

　こうした中、ジャーナリストや学生たちは自分たちが担うべき役割と
様々な取り組みを知っておく必要があります。これは本書の趣旨でもあ
ります。

　民主的で開かれた社会を支える重要な役割を担ってきたジャーナリス
トにとって、偽情報や誤情報はその世評以上に大きな問題です。「情報
障害」は、彼らの目的と有効性に疑問を投げかけます。ジャーナリズム
の独立性と高い職業的水準の必要性が根本的に重要であることを強調し
ています。これは、ジャーナリズムに支配的なイデオロギーや、ジェン
ダー、民族、言語的グループ、階級などやそれを生み出す人々の背景か
ら生じるバイアスがないと仮定しているのではありません。

　また、所有権、ビジネスモデル、視聴者の関心、予測可能な官僚や広
報の情報源という「ネット」ニュースなどの制度的文脈の影響というシ
ステム的問題を無視するものでもありません。しかし、報道の指針とし
て、またジャーナリストが自らの世界観と文脈について自省するため
に、編集倫理の重要性を支持するものです。

8　#KnowNewsは、南アフリカ共和国にあるメディア・モニタリング・アフリカ
　NGOが開発したウェブブラウザの延長であり、ウェブサイトが信頼できる情報
　を伝えているかどうかを見極め、利用者を支える目的で作られた。https://chrome.
　google.com/webstore/search/KnowNews［閲覧日 15/06/2018］
9　https://verificado.mx/［閲覧日 15/06/2018］というウェブサイトは2018年メキシコの
　選挙期間中、競争的なコンテンツを検証するために、60のメディア、市民団体、
　大学が連合し、立ち上げられた。https://knightcenter.utexas.edu/blog/00-19906-media-
　collaboration-and-citizen-input-fueled-verificado-2018-fact-checking-mexican-ele［閲覧日
　04/07/2018］

　ジャーナリズムは「漠然とした視点」ではなく、取材対象や視点が多様であっても、国民が信頼するには、検証可能性や公益性に関する一定の基準を満たし、透明性が保持されていることを示すことが必要です[10]。

　この授業では、以下の観点について参加者が批判的に考察することを講師は推奨する必要があります。すなわち、ジャーナリズムがいかに社会や民主主義に貢献できるのか、「情報障害」がいかに民主主義や開かれた社会に影響を与え、さらに影響を及ぼす危険性があるのか、ジャーナリズムがいかにうまく機能し得るか、その過程で、公共の利益のために検証可能な情報を生み出すという点において、その手法や基準が確かに際立っているという信頼を回復しうるのか、という観点です。これは、ジャーナリズムという情報提供者を盲信することについてではなく、ジャーナリズムの性格と独自性を認識することについて述べているのであって、公益のために検証された情報のプロセスと基準との整合性を追い求め、それに応じて評価することです。

　これは、冷笑主義とは異なる懐疑主義とそれに対応する能力の価値を認識することを意味します。すなわち、ジャーナリズムの実践者を装った人々と、純粋にジャーナリズムを行おうとする（そしてジャーナリズムに伴う必要な透明性、自らを律する説明責任、そして質の評価を明示する）人々を区別する、一般大衆の能力です。ジャーナリストやジャーナリズムを学ぶ学生にとっては、それは変化する情報環境を理解し、その課題にどのように対応するかを意味します。

10　Rosen, J. (2010). The View from Nowhere: Questions and Answers. PressThink. http://pressthink.org/2010/11/the-view-from-nowhere-questions-and-answers/［閲覧日 15/06/2018］を参照のこと。

概　要

「情報障害」がジャーナリストと彼らが活動する社会にもたらす影響を理解するためには、デジタル技術とインターネットに対応した個人用機器の急速な進歩に伴い、ジャーナリズムと従来のメディアが構造的、文化的、規範的なレベルで大きく変化したことを考慮することが重要です。最も重要なのは、加速度的に深刻化するジャーナリズムへの信頼問題とソーシャルメディアへの関わり方の問題です[11]。

ジャーナリズムの低迷をすべてソーシャルメディアの責任にするのは、間違っています。信頼はジャーナリストとしての力量に直結しており、そして、そのことは世界各地で政府、企業、機関への信頼が低下していることとも相関しています[12]。

ニュース取材と発信の構造的変化と、既存のニュース会社の主要なビジネスモデルの崩壊がニュース産業の報道力を低下させ、ニュース報道の深さ、幅広さ、そして品質に影響を与えてきました[13]。公共の報道機関への資金の減少と政府による継続的な規制はニュース報道を弱体化させました。

デジタルトランスフォーメーション（DX）はストーリーテリングの新しい方法と、ニュースプロセスへの視聴者の関与の拡大を歓迎する一方で、すでに弱体化している従来のニュース制作者に大きな課題をもたらしました。デジタルに特化したニュース組織には、ジャーナリズムの劣化を食い止めるジャーナリスト集団がまだ育っていません[14]。

11　モジュール3を参照のこと。
12　Edelman. (2017). op. cit.
13　モジュール3を参照のこと。
14　Greenspon, E. (2017). *The Shattered Mirror: News, Democracy and Trust in the Digital Age.*［ebook］Ottowa: Public Policy Forum, Canada. https://shatteredmirror.ca/download-report/［閲覧日 03/04/2018］

　民主化され、より多様化した情報の生態系の中で、偽情報や誤情報の弊害を防ぐことは、ジャーナリズムに携わる者だけでなく、社会全体の課題であることが明らかになりました[15]。

　デジタル化以前のジャーナリズムの実践と手法には、ニュースの正確性、質、公正性を管理するための専門的な基準があり、集中的なチェックとコントロールが幾重にも重ねられていました。

　現場レポーターは、公表前にコンテンツを検証するニュースルームのチームによって支えられていました。この「ゲートキーパー」モデルは、ジャーナリストにプロフェッショナリズムの感覚を定着させました[16]。

　ジャーナリストは、公共問題や地域社会の問題の報道、調査、解説、分析を通して、政治家や役人の責任を追及する有効な手段を持っていました。そして、市民が自分たちの社会がどのように運営され、治められるのかを選択する手助けをしたのです。確かに、報道機関の中にはジャーナリズムの理想と水準にそぐわないものもあります。しかし、一般に、報道機関のビジネスは、真のニュースを中心に据え、政治的、商業的、娯楽的な目的で作られた虚構の事実とは一線を画した、特定の関心に基づく物語を選び、提示してきました。文化的なレベルでは、誰もがソーシャルメディア・チャンネルでニュースを見たり、記録したり、コメント、発言できるようになったことで、中央集権型モデルだけでなく、公共広場型の討論も変化を余儀なくされました[17]。ソーシャルメ

15　Ansip, A. (2017). Hate speech, populism and fake news on social media– towards an EU response. https://ec.europa.eu/commission/ commissioners/2014-2019/ansip/ announcements/statement-vice-president-ansip-european-parliament-strasbourg-plenary-debate-hate-speech-populism［閲覧日 03/04/2018］

16　Kovach, B. and Rosenstiel, T. (2010). *Blur: How To Know What's True In The Age of Information Overload.* 1st ed. New York: Bloomsbury, pp.171-184.

17　Nossel, S. (2017). *Faking News: Fraudulent News and the Fight for Truth.*［ebook］PEN America. https://pen.org/wp-content/uploads/2017/10/PEN-America_Faking-News-

ディア・プラットフォームは、いまや公共的・政治的な言論のための重要なインフラとなっています。このことが、民主主義国家や開かれた社会を「民主主義の赤字（democratic deficit）」に追い込んだと主張する人もいます[18]。

　テクノロジー企業やソーシャルプラットフォームは、自分たちはニュース発行者ではないと主張することで、ジャーナリストや発行者が責任を負うべき規範的な義務を回避してきました[19]。彼らは記事を書くジャーナリストを雇っていませんが、キュレーションと編集の精度によっては、単なるチャンネルや仲介者という役割からますます遠ざかっています。オックスフォード大学計算科学研究所が「ジャンク」と呼ぶ偽情報や誤情報の多くは、ソーシャルメディア・プラットフォームや検索エンジンのアルゴリズムによってもたらされています。ユーザーの家族や友人のネットワークを利用することで、偽情報や誤情報を構造化し正当化するのです[20]。

　このように、これらのプラットフォーム上で意図的に誤解を招くようなコンテンツが拡散されることで、市民による現実の理解は影響を受けて[21]、信用、情報に基づく対話、共有された現実感、相互の同意、参加が損なわれています[22]。ソーシャルメディアが民主主義を弱体化させるとして非難されている点には、以下のようなものがあります。

　　　Report_10-17.pdf［閲覧日 03/04/2018］
18　Howard, P. (2017). Ibid.
19　Howard, P. (2017). Ibid. モジュール3も参照のこと。
20　Pariser, E. (2011). *The filter bubble: what the Internet is hiding from you*. London: Viking/Penguin Press.
21　European Commission (2017). Next steps against fake news: Commission sets up High-Level Expert Group and launches public consultation. http://europa.eu/rapid/press-release_IP-17-4481_en.htm［閲覧日 13/06/2018］
22　Deb, A., Donohue, S. & Glaisyer, T. (2017). *Is Social Media A Threat To Democracy?*［ebook］Omidyar Group. https://www.omidyargroup.com/wp-content/uploads/2017/10/Social-Media-and-Democracy-October-5-2017.pdf［閲覧日 03/04/2018］

▷エコー・チェンバー（echo chambers）を作り、二極化した、極端な党派政治を生み出す

▷人気を正当性に変える

▷ポピュリストの指導者、政府、過激派による操作を許容する

▷個人情報を取得し、追跡情報を用いてターゲットを絞った情報発信や、宣伝を促すことができる[23]

▷公共の場を混乱させる[24]

　このようなことが必然的である必要はありません。ソーシャルメディアは、社会にジャーナリズムを浸透させ、人権、文化的多様性、科学、知識、合理的意思決定を強化する環境において、議論、市民的価値、民主的参加を促進するための主要なプラットフォームとなり得るのです。そのために、ジャーナリズムは、どのようなプラットフォームであっても、例えば、複雑な問題を、科学的正確さを失うことなく、また、一般大衆を誤解させるような文脈の単純化をせずに、一般大衆に報告する必要があるのです。特に、先端医療（クローン技術など）や新しい科学の進歩（人工知能など）の分野では、正確性を検証し、センセーショナリズムを避け、将来への影響を慎重に報道し、信頼できる専門家の異なる見解や知見を消化しバランスを取れるかがジャーナリストの課題となっています。

　さらに、ジャーナリズムが偽情報や誤情報に直接対応できる方法は数多くあります。それらには、情報操作に抵抗すること、最後まで偽情報活動を調査し、それが行われていたことを直接的に暴露することが含ま

23　Cadwalladr, C. and Graham-Harrison, E. (2018). How Cambridge Analytica turned Facebook 'likes' into a lucrative political tool. *The Guardian*. https://www.theguardian.com/technology/2018/mar/2017/facebook-cambridge-analytica-kogan-data-algorithm［閲覧日 03/04/2018］

24　Deb, A., Donohue, S. & Glaisyer, T. (2017). Ibid.

れます。しかし、これらの方法には、ジャーナリズム全般を向上させる
ために大きな努力が伴わざるを得ません（下記参照）。

　「情報障害」とソーシャルメディア・プラットフォームがもたらす課
題に対する社会の反応は多様で、様々なレベルで行われています。解
決策は進化しており、あるものは急速に進歩しています。その多くは、
ソーシャルメディア企業やグーグルが本社を置く米国に端を発していま
す。

　誤情報に対処するための進化した技術関連の取り組みには、次のよう
なものがあります。

　　▷検索結果やニュースフィードから、同社が不正なニュースだと判断した
　　　ものを技術的に排除する方針（賛否両論ありますが）[25, 26, 27]。
　　▷偽情報の提供者たちにクリック数による広告収入が入らないようにしま
　　　す[28]。
　　▷デジタルコンテンツや画像を検証するための技術主導型ソリューション
　　　の提供をします[29]。

25　Ling, J. (2017). Eric Schmidt Says Google News Will 'Engineer' Russian Propaganda
　　Out of the Feed. Motherboard Vice.com. https://motherboard.vice.com/en_us/
　　article/pa39vv/eric-schmidt-says-google-news-will-delist-rt-sputnik-russia-fake-
　　news?utm_campaign=buffer&utm_content=buffer41cba&utm_medium=social&utm_
　　source=facebook.com+Motherboard［閲覧日 03/04/2018］; https://www.rt.com/news/411
　　081-google-russia-answer-rt/

26　Mosseri, A. (2018). Helping ensure news on Facebook is from trusted sources. Facebook.
　　https://newsroom.fb.com/news/2018/01/trusted-sources/［閲覧日 03/04/2018］

27　Stamos, A. (2018). Authenticity matters: Why IRA has no place on Facebook. Facebook.
　　https://newsroom.fb.com/news/2018/04/authenticity-matters/［閲覧日 03/04/2018］

28　Love, J. & Cooke, C. (2017). Google, Facebook move to restrict ads on fake news sites.
　　Reuters. https://www.reuters.com/article/us-alphabet-advertising /google-facebook-move-to-
　　restrict-ads-on-fake-news-sites-idUSKBN1392MM［閲覧日 15/06/2018］

29　モジュール6を参照のこと。一つの事例は以下から閲覧できる。http://www.truly.
　　media/［閲覧日 15/06/2018］

▷ジャーナリズム、テクノロジー、学術研究の接点にある、ジャーナリズムを支援する取り組みに資金を提供します[30]。

▷消費者（及びアルゴリズム）が信頼できるプロバイダーから発信されたニュースであると識別できるようにするための技術標準、すなわち信頼できるシグナルを開発し、使用します[31]。

　2018年初頭の執筆時点では、報道機関向けの技術標準の取り組みの中で最も重要なのは、大手検索エンジンやソーシャルメディア・プラットフォーム、世界中の70以上のメディア企業が手を携えて取り組むコンソーシアム「ザ・トラスト・プロジェクト（The Trust Project）」です。その使命は、「正確で、説明責任を果たし、倫理的に制作された」ニュースを、トラストマークによって一般の人々が容易に識別できるようにすることです。ニュースプロバイダーが信頼できるプロバイダーと見なされるために、オンラインデザイン環境において満たすべき、また容易に識別できる8つの初期技術標準を作成しました[32]。「ザ・トラスト・プロジェクトの信頼指標」[33]は次の通りです。

▷**ベスト・プラクティス**

　あなたの基準は何ですか？

　報道機関の資金提供者は誰ですか？

　報道機関の使命は何ですか？

　倫理、多様な声、正確さ、訂正、その他の基準へのコミットメント。

▷**著者・記者の専門性**：誰が作ったのか。ジャーナリストの専門性と他に

30　モジュール5を参照のこと。

31　The Trust Project (2017). The Trust Project-News with Integrity. https://thetrustproject.org/?nr=0［閲覧日 03/04/2018］

32　The Trust Project (2017). Ibid.

33　The Trust Project (2017). Ibid.

書いた記事についての詳細。

▷**記事の種類：**これは何ですか？　報道記事からオピニオン、分析記事、広告（広告費による／広告主本人による）を区別するラベル。

▷**引用と参考先：**調査や踏み込んだ記事における、事実と主張を裏付ける情報源へのアクセス。

▷**方法論：**さらに踏み込んだ記事については、記者がなぜその記事を選んだのか、どのようなプロセスを経たのかについての情報も提供します（これは透明性を高めることにつながる）。

▷**現地取材：**その記事が現地の情報源や専門性を持っているかどうかを示すものです。現地で取材し、現地の状況やコミュニティについて深い知識を持っていますか？

▷**多様な意見：**多様な視点を採り入れる報道局の努力と姿勢（特定の意見や民族、あるいは政治的な主張が欠けていると、読者・視聴者・リスナーはそれに気づきます）。

▷**実用的なフィードバック：**報道を優先し、取材過程に貢献し、報道の正確性を確保するために市民社会と関わる報道局の取り組み。読者／視聴者／リスナーは参加し、記事を変更したり膨らませたりするようなフィードバックを提供することを望んでいます。

　ジャーナリズムの仕事に対する信頼は、ジャーナリストが利用できる情報源の数、多様性、質を高めることにもつながり、その効果は視聴者にも波及します。

　政府、市民社会、教育者の対応としては、メディアと情報リテラシーに重点を置くことが挙げられますが、これについては後の授業で詳しく説明します[34]。

　これらの点は、2017年に世界編集者フォーラム（World Editors Forum）

34　モジュール4を参照のこと。

でも取り上げられ、その会長であるマルセロ・レヒ（Marcelo Rech）は、世界の編集者が以下の5つの原則を受け入れることを提案しました[35]。

▷超情報化社会では、信頼性、独立性、正確性、職業倫理、透明性、多元性が、一般の人々との**信頼関係**を確たるものにするための**価値観**となります。

▷次世代ジャーナリズムは、ソーシャルメディア上で流通する資料に対して警戒心を持ち、熱心に**質問と検証**を行うことで、他のコンテンツとは**一線**を画しています。ソーシャルメディアは、さらなる事実確認のための情報源として、また専門的なコンテンツを活用するためのプラットフォームとして認識しています。

▷次世代のジャーナリズムの**ミッション**は、質の高い検証済みの情報を提供することで**社会に貢献**し、コンテンツの信頼できる証明書としてニュースブランドを確立することです。

▷次世代のジャーナリズムに**求められる**のは、**基本事実だけでなく**、分析、文脈に応じた調査報道、情報に基づいた意見表明を可能にし、促進することであり、単なるニュースから、人々に権限を付与する知識を提供することへ移行することです。

▷次世代のジャーナリズムは、**信頼及び社会的妥当性、正当な利益及び誠実さという指針**に沿って行動します。

さらにジャーナリストと報道局は、ニュースの質を高めるために次の点を改善すべきです。

▷倫理的なジャーナリズムの実践と根拠に基づいた報道を行い、説明責任

---

35 Ireton, C. (2016). World Editors Forum asks editors to embrace 5 principles to build trust. https://blog.wan-ifra.org/2016/06/14/world-editors-forum-asks-editors-to-embrace-5-principles-to-build-trust［閲覧日 15/06/2018］

を果たすこと[36]

▷ファクトチェックを行い、偽情報と誤情報を非難すること[37]

▷データ、情報源、デジタル画像を検証すること[38]

▷ジャーナリストが関わっているコミュニティとのつながりと、社会の
ニーズとニュースアジェンダとの調和を確かなものにすること[39]

　最後の点について言及すると、主流メディアと民衆が乖離した証拠と
して挙げられるのは英国のEU離脱に関する国民投票と米国の2016年の
大統領選挙です。ソーシャルメディアを通じたコミュニケーションの強
みは直接つながることができることです。メディアが如何にして視聴者
によりよいサービスを提供するのか、さらにそれを通じて信頼を築き、
幅広い共同体との関係性を強めることができるのかについて、講師が主
導しながら追求しなければなりません。

　一方、シュッドソン（Schudson）の『ニュースが民主主義のために貢献
できる6つあるいは7つのこと』[40]は討論の良い枠組みを提供しています。

36　Wales, J. (2017). What do we mean by evidence-based journalism? Wikitribune.
　　https://medium.com/wikitribune/what-do-we-mean-by-evidence-based-journalism-
　　3fd7113102d3［閲覧日 03/04/2018］

37　モジュール5を参照のこと。

38　Bell, F. (2018). データ・ジャーナリズムの時代における検証過程は極めて複雑で
　　ある。例えば、大量の情報が流れている場合、不正確な情報だけでなく、意図
　　的に企まれた偽情報が混ざり込む可能性が十分考えられるからだ。モジュール6
　　も参照のこと。

39　Batsell, J. (2015). *Engaged journalism: connecting with digitally empowered news
　　audiences.* New York: Columbia University Press.

40　Schudson, M. (2008). Why Democracies Need an Unlovable Press. Polity. Chapter Two:
　　Six or Seven Things News Can Do For Democracy. https://books.google.co.uk/ books
　　?id=hmYGMe9ecKUC&printsec=frontcover&dq=schduson+michael+6+or+seven+w
　　ays&hl=en&sa=X&ved=0ahUKEwju_ZGI6ozZAhWELsAKHc0vBlUQ6AEIKTAA-
　　v=onepage&q&f=false［閲覧日 03/04/2018］

1. 情報：市民が健全な政治判断ができるように、公正かつ十分な情報を提供します。

2. 調査：政治的な権力など、集中的な権力の情報源を調査します。

3. 分析：一貫性のある解釈の枠組みを提供し、市民が複雑な状況を理解できるようにします。

4. 社会的共感：社会や世界の他の人々について伝え、他の人々、特に自分より社会的に不利な立場にある人々の視点や生活を理解できるようにします。

5. 公開討論の場：様々な社会組織の観点の共通媒介として、多元的かつ学際的なアプローチで問題に取り組み、市民に対話の場を提供します。

6. 啓蒙活動：（希望する場合に）政治的なプログラムや展望の支持者として奉仕し、人々を動員してこれらのプログラムを支持するよう行動させます。ただし、検証基準や公共の利益を損なわないようにします。

モジュールの目的

▷参加者はジャーナリズムとソーシャルメディアについて批判的に考えることができるようになること。

▷参加者は「情報障害」の生態系における自分の立ち位置を評価することができるようになること。

▷参加者は「情報障害」が社会に与える影響について批判的に考えることができるようになること。

学習成果

このモジュールの終了時に、参加者は以下のことを学習成果として修得します。

1. 拡大しつつあるメディア環境の中、ジャーナリズムがどのように民主主義と開かれた社会によりよく貢献できるかについての批判的な理解を深めました。また、民主主義に対する「情報障害」のリスクについても理解を深めます。
2. ジャーナリズムの信頼性に影響を与える要因と、どのようにしたら信頼性を維持、再構築できるかということを理解します。
3. なぜジャーナリズムが重要なのかを他人に説明できます。

 ## モジュールの形式

このモジュールで概説される内容は、ジャーナリズムの重要性と社会への貢献について、30分の講義とともに、30分のチュートリアル、あるいは、ラウンドテーブルディスカッションを基本構成として活用できます。構造化された対話を行う90分の実践演習で、ジャーナリズムを信用しない懐疑主義者に対して、すべての情報が同じように信用できないわけではないことを説得する方法を探ります。また、すべての情報が同じに見えてしまうソーシャルメディア環境で、ニュースメディアが信頼性を獲得できる方法を模索します。

上記成果のための学習計画

A. 理論

モジュール計画	時間	学習成果
真実と信頼性に関する講義と意見交換	30分	1, 2
ジャーナリズムの重要性と社会貢献に関するディスカッション	30分	1, 2, 3

B. 演習

モジュール計画	時間	学習成果
実践演習	90分	3

課題案

　課題は3つの要素で構成され、参加者たちは2人1組あるいは少人数のグループで実施します。

　▷参加者たちは（少人数グループあるいは2人1組で）ニュース消費者にインタビューを行い、地域や全国ニュースで最も信頼できる情報源と市民情報について特定してもらいます。シュッドソンの『ニュースが民主主義のために貢献できる6つあるいは7つのこと』を枠組みとして使い、一つの出版物あるいはインタビューで名前が挙がったメディアの記事を取り上げ、それらのジャーナリズムがそのコミュニティにどのくらい効果的に貢献できているのかを、参加者などに特定して分析してもらいます。内容分析の技法が、このアプローチに有効な方法論になるでしょう。第2の要素は、ザ・トラスト・プロジェクト（The Trust Project）の8つの信頼指標のうちのどの指標に識別できるのかを確認します。第3の要素に、調査結果はニュースレポートや論説の基礎となり、ジャーナリズムがなぜ重要かを論証する文章、または短いビデオやオーディオストーリーとして作成します。

参考文献

Deb, A., Donohue, S. & Glaisyer, T. (2017). *Is Social Media A Threat To Democracy?* ［ebook］Omidyar Group. https://www.omidyargroup.

com/wp-content/ uploads/2017/10/Social-Media-and-Democracy-October-5-2017.pdf

Edelman. (2017). 2017 Edelman TRUST BAROMETER-Global Results. https://www.edelman.com/global-results/

Howard, P. (2017). *Is social media killing democracy?* Oxford. https://www. oii.ox.ac.uk/videos/is-social-media-killing-democracy-computational-propaganda-algorithms-automation-and-public-life/

Nossel, S. (2017). *FAKING NEWS: Fraudulent News and the Fight for Truth.* [ebook] PEN America. https://pen.org/wp-content/uploads/2017/10/PEN-America_ Faking-News-Report_10-17.pdf

Schudson, M. (2008). Why Democracies Need an Unlovable Press. Polity. Chapter 5: *Six or Seven Things News can do for Democracies.* https:// books.google.co.uk/ books?id=hmYGMe9ecKUC&printsec=frontcover&dq =schduson+michael+6+or+sev-en+ways&hl=en&sa=X&ved=0ahUKEwju_ ZGI6ozZAhWELsAKHc0vBlUQ6AEIKTAA-v=onepage&q&f=false

Viner, K. (2017). A mission for journalism in a time of crisis. *the Guardian.* https://www.theguardian.com/news/2017/nov/16/a-mission-for-journalism-in-a-time-of-crisis

「情報障害」について考える：偽情報、誤情報、悪意のある情報の形態

クレア・ワードル／ホセイン・デラクシャン

はじめに

> 意にそぐわない報道を「フェイクニュース」、さらには「フェイクメディア」と呼ぶ人が増えてきました。グーグル・トレンドのマップによれば、2016年下半期から同単語の検索数が著しく伸びたことが分かります[1]。このモジュールでは、a）なぜこの用語が情報汚染の規模を説明するのに不十分であるのか、b）なぜこの用語が問題であり、使用を避けるべきなのか、について学びます。

　残念なことに、フェイクニュースという表現は、権力を持つ者が意にそぐわない報道を排除する手段として、また、ニュース業界を攻撃する武器として、政治的に利用されることがあり、本質的に脆弱です。したがって、フェイクニュースより、偽情報と誤情報という用語を使用することを推奨します。このモジュールでは、偽情報と誤情報の様々な種類と「情報障害」におけるそれぞれの位置づけを考察します。

　「情報障害」には、風刺やパロディ、クリックを誘うような見出し、誤解を招くようなキャプション、図表、または統計データの使用などが該当します。また、文脈を無視して共有される本物のコンテンツ、偽者によるコンテンツ（ジャーナリストの名前やニュースルームのロゴを無関係の人が使用したもの）、操作され捏造されたコンテンツなども含まれます。以上のことから、事態は「フェイクニュース」という用語が示唆しているものより複雑で危険であることが明らかです。

　もし、このような情報が私たちのソーシャルメディアの流れを汚染することへの解決策を考え、従来のメディアの報道にそれらが流れ込むの

1　フェイクニュースについてのグーグル・トレンドマップは以下より。https://trends.google.com/trends/explore?date=today%205-y&q=fake%20news［閲覧日 06/04/2018］

を阻止したいのであれば、私たちは、この問題をもっと慎重に考える必要があります。また、こうしたコンテンツを制作する人々と彼らの動機について考える必要もあります。彼らはどのようなコンテンツを作り、視聴者はそれをどのように受け取っているのでしょうか。その視聴者がどんな場合にそうした投稿を再共有しようとするのか、その動機は何か。この問題には様々な側面があり、ほとんどの議論はその複雑さをつかめていません。このモジュールを通じて、学習者は「情報障害」をめぐる様々な問題を適切な用語と定義に従って議論することができるでしょう。

 ## 概　要

　本書では、一般的に「偽情報（disinformation）」と「誤情報（misinformation）」という用語を使用し、公益のための検証可能な情報、つまり本物のジャーナリズムが生み出すもの、と対比させています。このモジュールでは、「偽情報」の特徴に焦点を絞ります。

　「フェイクニュース」をめぐる多くの議論は誤情報と偽情報という二つの概念を混同しています。本書では以下のような区別がよいと考え、誤情報あるいは偽情報という用語を以下の意味で用います。誤情報とは、誤った情報であるが、それを発信している本人が真実だと信じて拡散されている情報です。それに対して偽情報は、誤った情報であり、それを発信している本人がその誤りを知りながらも拡散している情報です。これは意図的な嘘であり、悪意のある行為者によって人々が積極的に情報操作されていることを指します[2]。

　第三のカテゴリーは「悪意のある情報（mal-information）」とでも呼ば

2　ここで紹介する定義についてのさらなる議論はKarlova and Fisher（2012）の研究を参照のこと。

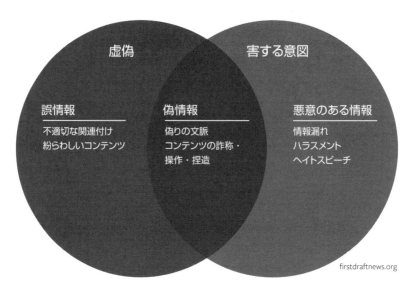

図1　情報障害

れるもので、現実に基づきながら、個人、組織、または国に損害を与え
るために使用される情報です。例えば、公共の利益の正当化なしに、人
の性的指向を明らかにするような報道があります。真実のメッセージを
偽のメッセージと区別することは重要です。しかし、真実のメッセージ
（そして幾分かは真実を含んだメッセージ）ではあるけれども公共の利益の
ためではなく、害を及ぼすことを意図する「代理人」によって作成、制
作、配布されたものは区別することが重要です。このような悪意ある情
報は、公共の利益の正当化なしに個人のプライバシーを侵害する真実の
情報と同様に、ジャーナリズムの基準や倫理に反するものです。

　上記のような違いがあるにもかかわらず、偽情報・誤情報・悪意のあ
る情報が情報環境と社会に与える影響は類似している可能性があります
（例えば、民主的なプロセスの整合性を損ねたり、ワクチン接種率を低下させ
たりします）。さらに、この3つの概念が結合した形で現れる場合も存在
します。特定の主体による、総体的な情報戦略の一環として、一つのタ

イプがよく別のタイプと伴って証拠として使われることがあります（例えば、異なるプラットフォームや一連で使用されるなど）。しかしながら、原因、手法、対策はそれぞれ異なるため、この3つの概念の区分は把握しておいた方が良いでしょう。

2017年のフランス大統領選挙は、「情報障害」の3つのタイプがすべて現れた事例です。

1. 偽情報の事例

フランスの大統領選挙キャンペーン中に試みられたデマの一例は、ベルギーのル・ソワール紙（Le Soir）の巧妙な複製を作成し[3]、大統領候補者のエマヌエル・マクロン（Emmanuel Macron）がサウジアラビアから資金提供を受けていると主張する偽記事を掲載したものです。また、もう一つのデマの例として、彼がバハマに脱税隠し口座をもっているという虚偽文書がネットで拡散されたことです[4]。また、「ツイッターレイド（Twitter raids）」と呼ばれる、ゆるやかにつながった複数の個人が同時に同じハッシュタグやメッセージをつけて、彼の私生活に関する噂を流すような偽情報も拡散されました。

2. 誤情報の事例

2017年4月20日にパリのシャンゼリゼで起こったテロ攻撃は、ほとんどのニュース速報がそうであるように、大量の誤情報がまきちらされた事例です[5]。人々は無意識に、例えば、ソーシャルメディアで二人目の警

---

3 CrossCheck, (2017). Was Macron's campaign for French Presidency financed by Saudi Arabia? https://crosscheck.firstdraftnews.org/checked-french/macrons-campaign-french-presidency-financed-saudi-arabia/ ［閲覧日 03/04/2018］
4 CrossCheck, 2017. Did Emmanuel Macron Open an Offshore Account? CrossCheck. https://crosscheck.firstdraftnews.org/ checked-french/emmanuel-macron-open-offshore-account/ ［閲覧日 03/04/2018］
5 例えば、英国のムスリムの人々がテロ攻撃に喜んでいたという噂の真相が

察官が殺されたなど多くの噂を流してしまいました。こうしたコンテンツをシェアする人々は害を与える意図はほとんどないのです。むしろ、彼らはその場の雰囲気に流されて、誰かを助けようとするのですが、シェアした情報を十分に調べて検証することができなかったのです。

3. 悪意のある情報の事例

　悪意のある情報に関する一つ衝撃的な事例として、エマヌエル・マクロンのメールが5月7日の決選投票日の直前に漏洩されたことが挙げられます。メールは本物と見なされました。選挙では投票直前の報道が禁止されるのが通例ですが、その数分前に個人情報をリークしたことでマクロン陣営に最大の損害を与えるように仕組まれていたのです。

　偽情報はプロパガンダの利益になることもありますが、プロパガンダという言葉は偽情報と同義ではありません。プロパガンダは通常偽情報よりもあからさまに扇動的です。単に情報を伝えるメッセージというよりも感情的なメッセージの方が多いのが典型的だからです[6]。

　このモジュールでは誤情報、特に偽情報に焦点を当て、異なる種類の事例をさらに紹介します。

　ここまで概説した偽情報、誤情報、悪意のある情報というカテゴリーは、本当のニュースの語り口との方向性の違い、と混同してはいけません。

　例えば、あるジャーナリストが「バーニー・マドフ（Bernie Madoff）ほどではないが、この詐欺疑惑事件は小規模の投資家たちに強い打撃を与

CrossCheck プロジェクトで暴露された。CrossCheck, (April 22, 2017). Did London Muslims 'celebrate' a terrorist attack on the Champs-Elysees? CrossCheck. https://crosscheck.firstdraftnews.com/checked-french/london-muslims-celebrate-terrorist-attack-champs-elysees/ ［閲覧日 03/04/2018］

6　Neale, S. (1977). Propaganda. *Screen*, Volume 18, Issue 3, pp. 9-40.

えた」と書いたとしましょう。一方で、他のジャーナリストは全く異なる意味合いで「この詐欺疑惑事件は小規模の投資家に強い打撃を与えたが、バーニー・マドフほどではなかった」と書くことができます。後者の語り方は事件の重大性を矮小化します。これらの例では、強調の仕方が異なるだけで、それ自体、以下に述べる意味での誤情報や偽情報を広めることにはなりません。これらは同じ状況を解釈する2つの正当な方法です。

　要は、ニュースにも、偽情報にも、誤情報にも、悪意のある情報にも物語が存在するということです。このように物語は、ニュースの中でどのような事実が重要なものとして選択されるのか（あるいは有害なコミュニケーションにおいてどのような事実がでっち上げられ、文脈から取り去られるのか）に埋め込まれているのです。犯罪に関する報道は、偽情報そのものでなくても、犯罪者や被害者の人種や国籍に言及することで、その同類と見なされるかもしれません。強盗とされる容疑者は男性で移民であり、被害者とされる人物は自国の女性であることは事実かもしれません。しかし、ジャーナリストが意識的または無意識的に何をニュースとして公に出すのかという点は、ジャーナリストの調査力、特に、重要な意味を持つ思想、視点、物語の一部であり、その結果、ストーリーに大きな影響を与えることになります。これは、「ファクトチェック（fact-checking）」に「物語の解題（narrative unpacking）」——事実と非事実が特定の目的で使われる構造を検証する——が有益である理由の一つです。正当なジャーナリズムにおける語り方は様々ですが、その存在は、次に示す7つのコミュニケーション形態における語り方と比較した場合、ジャーナリズムの独自性を失うことを意味しないことがわかります。

1. 風刺とパロディ

　偽情報と誤情報の類型の中に風刺が含まれていることは驚くべきこと

でしょう。風刺とパロディは芸術の一種として考えることもできます。しかし、ソーシャルフィード（タイムライン、TL）で情報を受け取ることがますます増えてきた今日、風刺サイトを識別できないことで人々に混乱が生じています。例えば、カバリスタン・タイムズ（Khabaristan Times）という風刺コラムのサイトがパキスタン・トゥデイ（Pakistan Today）というニュースサイトの一部として立ち上げられましたが[7]、2017年1月にパキスタンでブロックされて公開を停止させられました[8]。

2. 不適切な関連付け

　見出し、視覚資料やキャプションがコンテンツとずれることは、不適切な関連付けの例です。この種類のコンテンツで最も一般的なのは、クリックを誘導するために見出しを悪用すること（クリックベイト）です。受け手の関心を引く競争が激化する中、編集者はクリックさせるように引き付ける見出しを付けなければならなくなり、読者はコンテンツを読んで騙されたと感じることさえあります。ザ・ポリティカル・インサイダー（The Political Insider）というウェブサイトの事例は特にひどいものでした[9]。また、Facebookのようなサイトでも、特定の印象を与えるために映像やキャプションが使われ、テキストの中身に合致しないことがあります。特に、特定の記事をクリックせずにタイムラインに目を通すだけで済ませる場合（これはよくあることです）、紛らわしい映像や

7 Pakistan Today (2018). Anthropologists make contact with remote cut-off tribe still thanking Raheel Sharif. Khabaristan Today. https://www.pakistantoday.com.pk/2017/01/11/anthropologists-make-contact-with-remote-cut-off-tribe-still-thanking-raheel-sharif/［閲覧日 06/04/2018］

8　参照できるリソースの一つとして本書の共編者であるジュリー・ポセッティとアリス・マシューズが書いたものは以下から入手できる（後日発表）。

9　The Political Insider (2015). First time voter waited 92 years to meet Trump...what happened next is AMAZING! https://thepoliticalinsider.com/first-time-voter-waited-92-years-to-meet-trump-what-happened-next-is-amazing/［閲覧日 06/04/2018］

キャプションに騙されやすくなります。

3．紛らわしいコンテンツ

　この種類のコンテンツとは、写真の一部だけを切り取ったり、統計や引用文を選択的に示したりすることで、問題や個人を特定の方法で囲い込みを行うような誤解を招く情報の乱用です。これはフレーミング理論（Framing Theory）と呼ばれます[10]。Rappler.comでいくつかの事例が公開されています[11]。我々の脳が視覚資料に対して批判的になりにくいため、視覚資料は紛らわしい情報を広めるのに強力な手段です[12]。記事コンテンツを模倣した「ネイティブ広告」や有料広告も、スポンサーがついていることが十分に認識されていない場合、このカテゴリーに属します[13]。

4．偽りの文脈

　フェイクニュースという用語が役に立たない理由の一つは、本物のコンテンツが本来の文脈から外れた状態で再流通されることがしばしばあるからです。例えば、2007年にベトナムで撮られた写真が、それから7年後の2015年に、ネパールで起こった地震直後の写真のように偽造されて出回ったことがあります[14]。

10　Entman, R., Matthes, J. and Pellicano, L. (2009). Nature, sources, and effects of news framing. In: K. Wahl-Jorgensen and T. Hanitzsch (Contributor), ed., *Handbook of Journalism studies.* New York: Routledge, pp.196-211. https://centreforjournalism.co.uk/sites/default/files/richardpendry/Handbook%20of%20Journalism%20Studies.pdf［閲覧日 03/04/2018］

11　Punongbayan, J. (2017). Has change really come? Misleading graphs and how to spot them. Rappler.com. https://www.rappler.com/thought-leaders/20177731-duterte-change-fake-news-graphs-spot［閲覧日 06/04/2018］

12　この授業の参考文献にあるHannah Guyの論文を参照のこと。

13　モジュール3を参照のこと。

14　Pham, N. (2018). Haunting 'Nepal quake victims photo' from Vietnam. BBC. http://www.bbc.co.uk/news/world-asia-32579598; https://www.rappler.com/thought-

5. コンテンツの詐称

ジャーナリストが書いていない記事に自分の名前が付けられたり、見たこともない画像や動画に組織のロゴが使われたりすることが、実際に問題になっています。例えば、2017年のケニア大統領選挙の直前、BBCアフリカは、BBCのロゴと小見出しが合成されたビデオがWhatsApp で流れていたことを発見しました[15]。そのため、BBCは人々がこの捏造されたビデオに騙されないよう、警告する動画を制作し、ソーシャルメディアで共有する必要がありました。

6. コンテンツの操作

騙す目的で本物のコンテンツを操作することをいいます。一つの事例として、南アフリカ共和国で、ハフィントン・ポストの総編集長であるフェリアル・ハファジー（Ferial Haffajee）が実業家のヨハン・ルパート（Johan Rupert）の膝のうえに座っているという、個人関係を示唆するような写真が出回った例がありました[16]。

7. コンテンツの捏造

この種類のコンテンツは、完璧に捏造されたニュースサイトのようなテキスト形式の場合があります。例えば、「WTOE5 News」という自称空想ニュースサイトで、教皇が米国大統領候補としてドナルド・トランプ氏を推薦したという、完全に捏造された記事が発信されました。また、コンテンツの捏造は視覚資料の形式をもつ場合もあります。例

leaders/20177731-duterte-change-fake-news-graphs-spot ［閲覧日 06/04/2018］

15　BBC (2017). Kenya election: Fake CNN and BBC news reports circulate. http://www.bbc.co.uk/news/world-africa-40762796 ［閲覧日 06/04/2018］

16　Haffajee, F. (2017). Ferial Haffajee: The Gupta fake news factory and me. HuffPost South Africa. https://www.huffingtonpost.co.za/2017/06/05/ferial-haffajee-the-gupta-fake-news-factory-and-me_a_22126282/ ［閲覧日 06/04/2018］

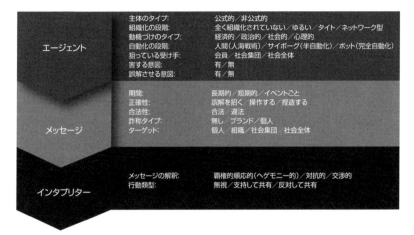

図2　「情報障害」の3要素

えば、SMS（ショートメッセージング）を通じてヒラリー・クリントン（Hillary Clinton）に投票することができるという不正確な内容を示唆する画像が製作されたケースがありました[17]。それらの画像は、米国の大統領選挙に先立ってソーシャルネットワークでマイノリティコミュニティをターゲットにして拡散されたものでした。

　一般市民、特にジャーナリストは、「情報障害」の「要素」、すなわち、エージェント（発信あるいは拡散者）、メッセージ、インタプリター（解釈者）、についてそれぞれに分けて考察する必要があります。この（図2のような）マトリックスで、それぞれの要素に対して問われなければなりません。捏造されたメッセージを作成するエージェントは、メッセージを制作する主体と、そのメッセージを拡散するエージェントと異なるかもしれません。同様に、これらのエージェントが誰で、どのような動機を持っているのかについて徹底的に調査する必要があります。ま

17　Haltiwanger, J. (2016). Trump Trolls Tell Hillary Clinton Supporters They Can Vote Via Text. Elite Daily. https://www.elitedaily.com/news/politics/trump-trolls-hillary-clinton-voting-text-message/1680338［閲覧日 23/03/2018］

た、拡散されるメッセージの種類も理解する必要があります。そうすることでそれぞれ規模を推測したり対処したりすることができます（これまでの議論では、捏造されたテキストのニュースサイトが圧倒的に多かったのですが、ビジュアルコンテンツも同じように広まっており、その特定と論証が非常に困難になっています）。

最後に、「情報障害」の三つの段階、つまり、創作・制作・拡散（図2）、について考える必要があります。「情報障害」という出来事の異なる段階とそれぞれの要素を知ることが重要です。コンテンツを創作するエージェントが、制作したエージェントと拡散者と異なる場合が多いからです。

例えば、国家が支援する偽情報キャンペーンを「作成」する首謀者と、キャンペーンのテーマを具体的な投稿に変える役割を担う低賃金の「トロール（trolls）：荒らし」とでは、その動機が大きく異なるのです。一旦メッセージが発信されれば、異なる動機をもった様々な関係者によって延々と再生産、再拡散されます。例えば、ソーシャルメディアでの一つの投稿は、複数のコミュニティで拡散されてから、十分に検証されないままに主流メディアによって取り上げられ再生産されることを経て、さらに他のコミュニティまで拡散されていきます。このように、「情報障害」を分解・分析しない限り、そのニュアンスを理解することは難しいでしょう[18]。

18　編者メモ：下記のようなグラフィックの追加を検討する。

表　有害性のフレームワーク～情報の完全性がどのように損なわれるのか～

	アクター：政府・心理作戦・政党・起業家・PR会社・個人・メディア	活用できるソフトウェア
コンテンツの**創作**−例）物語・コメント・"いいね"・動画・ミーム	多くの場合、身分を隠したり、盗んだり、偽ったりしている。	対話型インターフェース
コンテンツの**循環・再生産**−共有機能や、リンク機能などを使用	ボットを活用した支援	ボット
コンテンツの**「編集」**−改変・修正・論調の抑制化と過激化	ハッキングやゲーム化	アルゴリズム

出典：Berger, G. (2017). https://en.unesco.org/sites/default/files/fake_news_berger.pdf［閲覧日 22/04/2018］

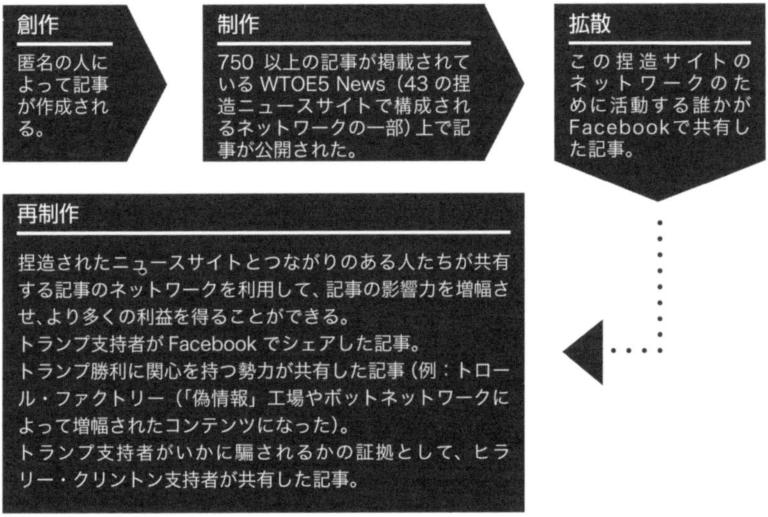

創作	制作	拡散
匿名の人によって記事が作成される。	750 以上の記事が掲載されているWTOE5 News（43 の捏造ニュースサイトで構成されるネットワークの一部）上で記事が公開された。	この捏造サイトのネットワークのために活動する誰かがFacebookで共有した記事。

再制作

捏造されたニュースサイトとつながりのある人たちが共有する記事のネットワークを利用して、記事の影響力を増幅させ、より多くの利益を得ることができる。
トランプ支持者が Facebook でシェアした記事。
トランプ勝利に関心を持つ勢力が共有した記事（例：トロール・ファクトリー（「偽情報」工場やボットネットワークによって増幅されたコンテンツになった）。
トランプ支持者がいかに騙されるかの証拠として、ヒラリー・クリントン支持者が共有した記事。

図3　「情報障害」の段階

　ローマ法王が米国大統領候補者のドナルド・トランプを支持したという WTOE5 News というサイトで掲載されたデマは、最も有名なもののひとつです[19]。このケースは、「情報障害」の異なる段階について検討するために有用な事例です（図3）。

モジュールの目的

▷偽情報と誤情報を幅広く考えることで、ネット上の情報をより見極めることができるようになること。

▷こうした種類の情報を考案した（しばしば匿名または偽者の）創作者たち

19　WTOE5 News (2016). Pope Francis shocks world, endorses Donald Trump for President, releases statement. https://web.archive.org/web/20161115024211; http://wtoe5news.com/us-election/pope-francis-shocks-world-endorses-donald-trump-for-president-releases-statement/［閲覧日 06/04/2018］

について、それがどのような形式をとり、どのように解釈され、どのように広がっていくのかを批判的に考えること。

▷「情報障害」の複雑さ、特にこの種の情報を創作する人たち、彼らが使用する形式、視聴者がこれらのメッセージを共有する方法を区別する必要性について理解する。

▷偽情報と誤情報という問題に取り組む難しさを理解すること。

▷「情報障害」が如何にして民主主義と開かれた社会に影響を与えるのかという問題──前のモジュールのテーマ──を認識すること。

学習成果

このモジュールの終了時に、参加者は以下のことを学習成果として修得します。

1. 政治家、ニュースメディア、研究者たちがこの問題について議論しながら取り組んできた経緯が理解できます。
2. 「情報障害」の害悪と虚偽を理解できます。
3. 偽情報と誤情報の種類を理解し、それらを様々な事例に当てはめることができます。
4. 偽情報の事例について批判的に思考したうえ、それを創作した主体は誰であり、そのメッセージがどのように見え、さらに受け手にどのように解釈されうるのかを分解・分析することができます。
5. なぜこの問題をよく考えることが大切なのか、誰かに説明できます。

モジュールの形式

理論についての講義 & 実践ワークショップ

　このモジュールのスライド[20]は、長期にわたる双方向ワークショップのためにデザインされています。

　しかし、このカリキュラムの目標を達成するために、今まで紹介した理論を講義の基本として使うことを勧めます。スライドにある実践演習は、90分間のチュートリアルのために抽出したものです。講師は、討論や演習のためにスライドを活用してください。

　演習1：2人1組、または、少人数グループになって、下記の図4に示された、「偽情報と誤情報の7つのカテゴリー」に当てはまる事例を示しなさい。

図4　「情報障害」の7つのカテゴリー

20　スライドは以下からダウンロードできる。https://en.unesco.org/sites/default/files/fake_news_syllabus_-_model_course_1_-_slide_deck.pdf

演習2：偽情報、誤情報、悪意のある情報の違いを説明しているベン図（図1）を検証してください。あなたはこれに同意しますか？　何が欠けていますか？　あなたが課題にしたいことはありますか？

上記成果のための学習計画

A．理論

講義	時間	学習成果
発表と討論：偽情報と誤情報に関わる最新事例の既存知識を共有	90分	1

B．演習

講義	時間	学習成果
演習1：2人1組、または、少人数グループになり、偽情報と誤情報の種類を説明する図4を検討し、それぞれのカテゴリーに当てはまる事例を探す。	45分	2
演習2：偽情報、誤情報、悪意のある情報の違いを示した図1を検討する。それに賛同するかどうか、抜けている要素、あるいは、書き加えたい要素があれば明らかにする。	45分	3

課題案

　ソーシャルメディア企業になりきって、サイト上で情報を消費する際に気をつけるべきことをユーザーに教える目的で、運営するサイトのフィード上部に流す啓蒙ビデオをストーリーボード[21]で制作しましょう。

21　メモ：ストーリーボード作りとは、広告、映画、ドキュメンタリー制作、ジャーナリズムなどで用いる制作過程の一つで、フレームごとに、テキスト、ビデオ、オーディオの流れを図で表すことを示す。

　ストーリーボードの中にこのモジュールで紹介された偽情報と誤情報の事例を含め、情報の真実を確かめないままで「イイね」を押す、共有する、書き込みを投稿するなどの危険性を強調すべきです。簡単なストーリーボードのツールはここで入手できます。http://www.storyboardthat.com/

教　材

スライド：https://en.unesco.org/sites/default/files/fake_news_syllabus_-_model_course_1_-_slide_deck.pdf

参考文献

Berger, G. (2017). Fake news and the future of professional and ethical journalism. Presentation at conference organized by the Joint Extremism/ Digital Europe Working Group Conference of the European Parliament on 6 September 2017. https://en.unesco.org/sites/default/files/fake_news_ berger.pdf

Busby, M. I. Khan & E. Watling (2017). Types of Misinformation During the UK Election, First Draft News. https://firstdraftnews.com/misinfo-types- uk-election/

Guy, H. (2017). Why we need to understand misinformation through visuals, First Draft News. https://firstdraftnews.com/understanding-visual-misinfo/

Karlova, N.A. & Fisher, K.E. (2012). "Plz RT": A Social Diffusion Model of Misinformation and Disinformation for Understanding Human Information Behaviour. Proceedings of the ISIC2012 (Tokyo). https://www.hastac.org/ sites/default/files/documents/karlova_12_isic_misdismodel.pdf

Silverman, C. (2017). This is How your Hyperpartisan Political News Get Made. BuzzFeed News. https://www.buzzfeed.com/craigsilverman/how-the-hyperpartisan-sausage-is-made?

Wardle, C. & H. Derakhshan (2017). Information Disorder: Towards an Interdisciplinary Framework for Research and Policy-Making. Council of Europe. https://firstdraftnews.com/resource/coe-report/

Wardle, C. & H. Derakhshan (2017). One year on, we're still not recognizing the complexity of information disorder online, First Draft News. https://firstdraftnews.org/coe_infodisorder/

Zuckerman, E. (2017). Stop Saying Fake News, It's Not Helping, My Heart's in Accra. http://www.ethanzuckerman.com/blog/2017/01/30/ stop-saying-fake-news-its-not-helping

ニュース業界の変革：
デジタル技術、
ソーシャルプラットフォーム、
誤情報・偽情報の蔓延

ジュリー・ポセッティ

MODULE 3

はじめに

デジタル時代は「ジャーナリズムの黄金時代」とも形容されています[1]。デジタル技術は画期的な調査ジャーナリズムとつながる重要なデータへのアクセスを可能にし[2]、国境を越える報道協力という新しいモデルを生み出してきました。マウスをクリックするだけで、様々な情報ソースや貴重な知識へアクセスすることも可能になりました。さらに、デジタル技術はニュース産業に前例のない継続的な挑戦と構造的な変化をもたらしました。今、ジャーナリズムは「常に攻撃の的」[3]とされており、「情報障害」を助長する様々な圧力による仮想空間の「熾烈な暴風」に直面しています[4]。それは以下のようなことです。

▷ 自動化技術による政治宣伝（プロパガンダ）[5]と「不信の武器化」[6]の台頭

1 Posetti, J. (2017). *Protecting Journalism Sources in the Digital Age.* Paris: UNESCO. pp. 104. http://unesdoc.unesco.org/images/0024/002480/248054E.pdf ［閲覧日 01/04/2018］(Citing ICIJ Director, Gerard Ryle)

2 Obermayer, B. & Obermaier, F. (2016). *The Panama Papers: Breaking the story of how the rich and powerful hide their money*, One World, London

3 UNESCO (2018). *World Trends in Freedom of Expression and Media Development 2017/2018.* Paris: UNESCO. http://unesdoc.unesco.org/images/0025/002597/259756e.pdf ［閲覧日 29/03/2018］

4 Wardle, C. & Derakhshan, H. (2017). *Council of Europe*, op. cit. メモ：このビデオは2018年に本モジュールの著者が主催した国際ジャーナリズム・フェスティバル（2018 International Journalism Festival）のパネル討論を録画したもので、このモジュールを教習する際のリソースとして利用することを勧める。https://www.journalismfestival.com/programme/2018/journalisms-perfect-storm-confronting-rising-global-threats-from-fke-news-to-censorship-surveillance-and-the-killing-of-journalists-with-impunity

5 Clarke, R. & Gyemisi, B. (2017). Digging up facts about fake news: The Computational Propaganda Project. OECD. http://www.oecd.org/governance/digging-up-facts-about-fake-news-the-computational-propaganda-project.htm ［閲覧日 01/04/2018］

6 UNESCO (2017). *States and journalists can take steps to counter 'fake news'.* Paris: UNESCO. https://en.unesco.org/news/states-and-journalists-can-take-steps-counter-fake-news ［閲覧日 29/03/2018］

▷広告のデジタル化によって、従来のニュース発信に関わるビジネスモデルが崩壊し、大量の失業者が発生したこと。

▷デジタル広告がこれまでジャーナリズムを支えてきた紙媒体の広告の代わりにならなかったこと（GoogleやFacebookはデジタル広告販売の主要受益者である）[7]。

▷デジタル技術の融合により、コンテンツの委託、制作、出版、配信が変化し、納期の制約が大きくなり、さらなる雇用喪失につながった。

▷ジャーナリスト（特に女性）、情報源、視聴者に対するオンライン・ハラスメント[8]。

▷ソーシャルメディア・プラットフォームが、視聴者をコンテンツの発見と配信の最前線に立たせて[9]、ニュース制作の協力者としたこと（これはメリットをもたらす一方、伝統的なニュースメディアが持つ門番としての権限が揺るがされ、検証基準にも影響を与えている[10]）。

▷オンデマンドニュース、モバイル配信、ソーシャルメディアでのリアルタイムのエンゲージメントに対する視聴者の期待が、終わりのないニュースサイクルの中でリソースが減少しているニュース専門家へのプレッシャーをさらに高めていること。

▷発信へのハードルが取り除かれ、誰もがコンテンツを制作し、従来のゲートキーパーを迂回することができる。注目を集めるための競争がで

7　Kollewe, J. (2017). Google and Facebook bring in one-fifth of global ad revenue. *The Guardian*, May 2nd 2017. https://www.theguardian.com/media/2017/may/02/google-and-facebook-bring-in-one-fifth-of-global-ad-revenue［閲覧日 29/03/2018］

8　モジュール7を参照のこと。

9　Nielsen, R.K. & Schroeder, C. K. (2014). The Relative Importance of Social Media for Accessing, Finding and Engaging With News, *Digital Journalism*, 2 (4). http://www.tandfonline.com/doi/abs/10.1080/21670811.2013.872420［閲覧日 29/03/2018］

10　Posetti, J. & Silverman, C. (2014). When Good People Share Bad Things: The Basics of Social Media Verification in Posetti (Ed) *Trends in Newsrooms 2014* (WAN-IFRA, Paris). http://www.wan-ifra.org/sites/default/files/field_media_image_file_attach/WAN-IFRA_Trends_Newsrooms_2014.pdf［閲覧日 29/03/2018］

きるようになったため、ニュース出版社は視聴者の維持に苦慮している
こと。批判的な報道の信頼性を損なおうとする有力政治家などもこれに
含まれる[11]。

▷新聞社の経営破綻によって空白を埋めようと立ち上がった、多くのデジ
タル基盤の新生メディアは、影響力と収益性が伸びず、苦戦しているこ
と。

▷ジャーナリズムや主流メディアに対する信頼が損なわれ、視聴者の散逸
を加速させ、残された利益が減少し、「情報障害」の蔓延に拍車がかか
ること。

その結果、事実、娯楽、広告、捏造、フィクションの境界線はますま
す曖昧になっています。偽情報や誤情報が発表されると、ピアツーピア
（P2P）の共有に依存するソーシャル・ニュース配信の仕組みが、そのコ
ンテンツを急速に拡散させ、ジャーナリストや他のファクトチェッカー
が虚偽性を明かしたとしても、撤回することは不可能になるのです。

このモジュールは、①多くの商業ニュースメディアのビジネスモデル
が崩壊し、②デジタルトランスフォーメーションのプロセスとソーシャ
ルメディアの登場と組み合わさって、③誤情報や偽情報の正当化と蔓延
が可能になったデジタル時代の状況について、読者に知見を提供しま
す[12]。さらに、「情報障害」に対するニュースメディアの対応を批判的に
分析するのに役立ちます。なお、この問題に立ち向かおうとする業界の
新しい取り組みについて紹介します。

11　Cadwalladr, C. (2017). Trump, Assange, Bannon, Farage...bound together in an
unholy alliance, *The Guardian*, October 28th 2017. https://www.theguardian.com/
commentisfree/2017/oct/28/trump-assange-bannon-farage-bound-together-in-unholy-
alliance［閲覧日 29/03/2018］

12　Posetti, J. & Silverman, C. (2014). op. cit.

概　要

課題の確認

ニュース産業へ影響を与える「情報障害」の構造的な原因

1)　伝統的ビジネスモデルの崩壊

　2世紀にわたって商業的なジャーナリズムを支えてきた資金調達方法である従来型の広告収入が激減する一方で、デジタル広告が十分な利益を生み出していないことから、ジャーナリズムという産業を持続可能にするための試行錯誤がますます要求されています。しかし、ニュース産業の崩壊は加速する一方です。新聞の急速な減少とともに、根本的な構造改革への要求と大規模な解雇事態がデジタル時代の報道局にとっては珍しくもない日常になっています。メディアに対する消費者行動の変化とソーシャルメディアの普及に加え、アプリが使え、手頃な価格で買えるスマートフォンの登場が、視聴者を伝統的なニュースから、人から人への情報共有に移行させ、収益をさらに減少させています。「情報障害」に関する影響は以下のことを含みます。

　　▷報道局のリソース（スタッフと予算）の枯渇により、出所と情報についての調査が少なくなり、「現場」からの報道が減少すること。

　　▷品質管理プロセスの低下や雇用の喪失からくる納期に対する重圧が増大する一方で、ホームページやソーシャルメディア・チャンネルに供給するためのコンテンツの大量生産への要求は続いていること。

　　▷「チェック・アンド・バランス（記者のファクトチェックと校閲を含む）」のために費やす時間とリソースが減少していること。

▷識別が難しいが収益性の高い「ネイティブ広告」[13]と視聴者の信頼をさらに損なう危険性のある「クリックベイト（釣りタイトル）」の見出しに過度依存すること。

2）デジタル化による報道局とニュース生産方式の転換

21世紀に入ってからの10年間、デジタル時代の進展とともに、ニュースの制作、拡散、消費のパターン及びそのプロセスは大きく揺るがされました[14]。同時に、前例のない大きい機会と挑戦も生まれました。ニュース産業とジャーナリズムの技のデジタルトランスフォーメーションは、視聴者の消費行動（例：知人から知人へとコンテンツが発信される方式、オンデマンドのアクセス）と技術（例：ソーシャルメディアの登場、仮想現実や人工知能の導入、スマートフォンによる接続可能性の増加など）の変化によって、途切れることのないプロセスとして理解されています[15]。したがって、ジャーナリズムは継続的にデジタル対応能力の構築が必要です。

「情報障害」に関する影響としては以下のようなものがあります。

▷メディア融合：多くのジャーナリストが複数のプラットフォーム（モバ

---

13 「ネイティブ広告」とは、報道を模倣した有料コンテンツを指し示すメディア産業の用語である。「有料」と明確に表記することで倫理性のあるものとして考えられるが、読者の拒否への懸念があるため、透明性を欠如した場合も存在する。

14 Nielsen, R. K. (2012). *The Ten Years That Shook the Media World: Big Questions and Big Trends in International Media Developments* (Reuters Institute for the Study of Journalism, Oxford). https://reutersinstitute.politics.ox.ac.uk/sites/default/files/2017-09/Nielsen%20-%20Ten%20Years%20that%20Shook%20the%20Media_0.pdf［閲覧日 29/03/2018］

15 デジタルメディアのトレンドに関する世界的な詳細分析については以下を参照のこと。Reuters Institute for the Study of Journalism's (RISJ) *Digital News Report*. 2018年版は下記よりアクセスできる。http://www.digitalnewsreport.org/survey/2018/overview-key-findings-2018/

イルから印刷媒体まで）のためのコンテンツを同時に制作することになっ
ていて、積極的な現地取材に取り組む時間が不足している。深い調査を
必要としない広報コンテンツの再生産のような消極的な仕事に振り回さ
れがちなこと。

▷適切な検討を通さず、記者が自分のコンテンツを自ら編集、発信するこ
とが増えていること[16]。

▷デジタルファーストでの締め切りはいつも「今」であり、エラーの危険
性を高めていること。

▷ソーシャルファーストの発信環境で、リアルタイム・ニュースに対する
視聴者の需要に応えるために、記者が個人や組織のソーシャルメディア
のアカウントで記事を発信することが普通となった。「ライブ・ツイー
ト」や「Facebook Live」配信、また他のジャーナリズム的な活動におい
て、編集監督が関与せず（生放送と類似する）、「発信ファースト、チェッ
クは後に」という行動傾向になりかねない。

▷広告本数と低価格なデジタル広告を意図的に減らすことで生じたデジタ
ル広告費の値上げを正当化するために、「注意を払った時間の長さ」と
「費やした時間」（長めかつ高品質の記事にとってより有用な指標）などの指
標の代わりに、記事のクリック数とウェブサイトの訪問者数といった基
本的なデータ分析のみに依存すること。

▷トラフィックを増やすためにクリックを誘導し（欺瞞的な見出しを使って
読者を騙しながらクリックするように誘う）、職業としてのジャーナリズム
に対する信頼を損なわせること。

▷品質と正確性を犠牲にしながら人気を追求すること。この問題は「機械

16　Australian Community Media (ACM) のケーススタディを参照のこと。Robin, M.
(2014). Who needs subs? Fairfax turns to reporter-only model Crikey. https://www.crikey.
com.au/2014/10/16/who-needs-subs-fairfax-turns-to-reporter-only-model/ ［閲覧日 29/03/
2018］（メモ：この方法は現在、Fairfax Media の地域、地方、コミュニティの出版
物全体に定着している。）

学習」によって悪化する可能性がある。

　▷メディア開発プロジェクトの成果として、ファクトチェック部署が報道
　局内に設立されたこと。

3）口コミ：偽情報は如何にして新しいニュース・エコシステムで急速に広がったのか

A）視聴者の浮上

デジタル時代は発信行動のハードルが低くなり[17]、「これまでは情報の受け手として捉えられてきた人々に情報を発信するためのツールをもたらすという変化」[18]の予兆となりました。視聴者は、ニュースを含むコンテンツの共同制作者になり、プロデュセイジ（produsage）〔訳者注：productionとusegeを合わせた造語〕[19]と呼ばれる機能と役割を果たすようになりました。デジタル草創期にはEメールやチャットルームを通して成り立っていた受け手の影響力は、ソーシャルメディア・プラットフォームで劇的に増大しました。

B）ソーシャルメディアの登場

多くの国では、2000年の後半までに、ジャーナリストの実践と職業的アイデンティティ、（特に検証、視聴者の関与、ソーシャルメディア上で発生する個人的領域と公的領域の衝突に関して[20]）プラットフォームとコンテンツ

17　Gillmor, D. (2004). *We, the Media: Grassroots Journalism By the People, For the People.* O'Reilly. http://www.authorama.com/we-the-media-8.html ［閲覧日 29/03/2018］

18　Rosen, J. (2006). The People Formerly Known as the Audience, PressThink blog (June 27th, 2006). http://archive.pressthink.org/2006/06/27/ppl_frmr.html［閲覧日 29/03/2018］

19　Bruns, A. (2008). *Blogs, Wikipedia, Second Life, and Beyond: From Production to Produsage.* New York: Peter Lang. Bruns A (2006) *Collaborative Online News Production.* New York: Peter Lang も参照のこと。

20　Posetti, J. (2009). Transforming Journalism...140 Characters at a Time, *Rhodes Journalism Review*, (29), September 2009. http://www.rjr.ru.ac.za/rjrpdf/rjr_no29/Transforming_Journ.pdf ［閲覧日 29/03/2018］

の配信に影響を及ぼすYouTubeが行っていたソーシャルメディア上の活動に、TwitterとFacebookも加わりました。個人が信頼に基づくネットワークを形成するにつれ、ピアツーピアのコンテンツ配信（特にFacebook）は、従来のコンテンツ配信の方法に対抗するようになりました。

　利用者は媒介を通さずに自らコンテンツの流れを——ニュース・サービスやジャーナリスト、さらに信頼できる情報提供者からのコンテンツを含み——生み出せるようになりました。こうした「信頼のネットワーク」（利用者と知人）によるコンテンツ拡散の結果、不正確、虚偽、悪意やプロパガンダを含む、ニュースになりすましたコンテンツが増えました。複数の研究によれば、感情的なコンテンツ、及び、友人や家族によって共有されたコンテンツがソーシャルメディア上で広範囲に再発信される可能性が高いとされています[21]。

　ジャーナリストとニュース機関も、ニュース収集、視聴者との関わり、コンテンツ発信（視聴者で賑わうプラットフォームであることが必要）を目的に、こうしたプラットフォームに参加した一方で、「フィルター・バブル」[22]や「エコー・チャンバー」[23]といった現象が起こりました（時々示唆されたような排他的で孤立した形ではないかもしれません）。これらの現象は多くの個人利用者にとって、異なった見解と検証された情報に接触する機会を奪いました。こうした展開は「情報障害」に関連するリスクを増大させました。視聴者ネットワーク型ジャーナリズムの利

21　Bakir, V. & McStay, A. (2017). *Fake News and the Economy of Emotions Digital Journalism.* Taylor and Francis. July, 2017. http://www.tandfonline.com/doi/abs/10.1080/21670811.2017.1345645 ［閲覧日 29/03/2018］

22　メモ：フィルター・バブルは、アルゴリズムによって個人に特定のコンテンツを提供した結果、近い意見を持つ人々が集まった膨らんだ空間である。c.f. Pariser, E. (2012). *The Filter Bubble.* New York: Penguin and Random House.

23　「エコー・チャンバー」はソーシャルメディアで集まる近い意見を持つ人々に対する確証バイアスの影響を指す。「確証バイアス」に関する詳しい説明はモジュール5で説明する。

点としては、多様な情報源をクラウドソーシングできること[24]共同検証（誤情報の訂正、偽情報の暴露、または悪意のある行為者の追放に役立つ）を行えること、忠誠心の高い視聴者を確保できること（ニュース消費者とジャーナリズム実践者を直接的に結びつける）が挙げられます[25]。このようなジャーナリズムはまた、記者の誤りを訂正し、あるいは、調査の協力に貢献できるように、「言い返す」権限を視聴者に与えます。このネットワーク化された公共圏は、ジャーナリストや視聴者が、情報へのアクセスや開かれた社会の足かせとなり得る恣意的な制限や検閲（例えば「スピンドクター」の層）を回避するのにも役立ちます。

　ジャーナリストがソーシャルメディアを介して視聴者や情報源と関わることは、自主規制を支援する説明責任の枠組みの注目すべき新機能と見なすこともできます。これらのやり取りにより、ジャーナリストは自分の仕事に対する正当な批評に公的かつ迅速に対応し、誤りを即座に修正し、「プロセスからコンテンツを作る」ことによって、自らの実践の透明性を高めることができます[26]。

　ところが、次のような短所もあります。

　　▷「信頼のネットワーク」[27]と感情的な反応による拡散の増大で、偽情報と

24　Garcia de Torres, E. (2017). The Social Reporter in Action: An Analysis of the Practice and Discourse of Andy Carvin, *Journalism Practice*, 11(2-3). http://www.tandfonline.com/doi/abs/10.1080/2017512786.2016.1245110 ［閲覧日 29/03/2018］

25　Posetti, J. (2010). Aussie #Spill Breaks Down Barriers Between Journalists, Audience PBS Mediashift, May 24th, 2010. http://mediashift.org/2010/05/aussie-spill-breaks-down-wall-between-journalists-audience144/ ［閲覧日 29/03/2018］

26　Posetti, J. (2013). The 'Twitterisation' of investigative journalism. S. Tanner & N. Richardson (Eds.), *Journalism Research and Investigation in a Digital World.* pp. 88-100. Oxford University Press. http://ro.uow.edu.au/cgi/viewcontent.cgi?article=2765&context=lhapapers

27　「信頼のネットワーク」とは、他の媒体を介さずピアツーピアで結ばれて、信頼に基づいた関係（例えば、家族と友達グループ）を通してオンラインで情報を

誤情報が急激に広まる可能性が高まるかもしれないこと（例えば、確証バイアスが引き金になる）（モジュール5を参照すること）。

▷政府や他の組織が、ニュースメディアの審問や検証を迂回し、「視聴者へ直接的に伝える」ことで、厳密な調査を避けることができること。選挙結果と公共政策に影響を与えようとソーシャルメディアの力を操作する試みが増えている証拠がある[28]。

▷センセーショナルな情報であればあるほど、拡散されること[29]。

▷偽情報と誤情報は一旦口コミになれば、簡単に訂正し撤回することができないこと。いくら真実を明かして報道しても、捏造された記事、悪意のあるミーム、ニュースになりすましたプロパガンダの動画、または、検証失敗による誤った記事の影響力を完全に取り除くことができない。

▷ソーシャルメディアで即時に発信しなければならないという需要は、偽情報と誤情報、あるいは、偽造されたソースからの情報を不注意にシェアしてしまうことにつながること[30]。

▷幅広い社会的文脈において、メディアと情報リテラシーと情報検証能力

共有する人々のネットワークである。複数の研究によれば、ソーシャルメディア利用者は、真偽を問わず、そうした「信頼のネットワーク」を通じて手に入れた情報を共有する傾向が強いと実証されている。

28　Freedom House (2017). Freedom of the Net 2017: Manipulating Social Media to Undermine Democracy, Freedom House. https://freedomhouse.org/report/freedom-net/freedom-net-2017 ［閲覧日 29/03/2018］; Cadwalladr, C. (2018). I made Steve Bannon's Psychological Warfare Tool: Meet the data war whistleblower, *The Guardian/ Observer*. https://www.theguardian.com/news/2018/mar/2017/data-war-whistleblower-christopher-wylie-faceook-nix-bannon-trump ［閲覧日 31/03/2018］も参照のこと。

29　Kalsnes, B. & Larsson, O. A. (2017). Understanding News Sharing Across Social Media: Detailing distribution on Facebook and Twitter. *Journalism Studies*. Taylor and Francis. March, 2017. http://www.tandfonline.com/doi/ abs/10.1080/1461670X.2017.1297686?scroll=top&needAccess=true&journalCode=rjos20 ［閲覧日 29/03/2018］

30　Posetti, J. (2009). Rules of Engagement For Journalists on Twitter PBS Mediashift, June 19th 2009. http://mediashift.org/2009/06/rules-of-engagement-for-journalists-on-twitter170/ ［閲覧日 29/03/2018］

の低下が懸念されること。多くの場合、一般のソーシャルメディア利用
者は、コンテンツをシェアする前に情報の真偽を判断するツールと能力
が十分に備わっていない。

▷上述した緊急な課題への対応策として、国家権力が不当な検閲と封鎖
を通して表現の自由を侵害するリスクがあること。

▷フィルター・バブルの発達により、バイアスが固められ、検証された高
質な情報への露出が減少されること。

▷質の低いジャーナリズムによって、視聴者が、プロのジャーナリストに対
する尊敬をさらに低下させ、批判者を黙らせようとする人々によるニュー
スメディアへの攻撃に正当性を与えてしまうリスクが浮上すること。

▷ニュースになりすました偽情報と本当のニュースを区分できず、視聴者
側に混乱を起こすリスクが浮上すること[31]。

▷偽情報の取り扱いに関する報道局の準備不足、及び、ソーシャルメディ
ア編集チームがこの問題と戦うための最新の戦略を開発する必要性があ
ること[32]。

C）プラットフォームの浮上

ザ・ガーディアン紙の報道局長であるキャサリン・バイナー（Katherine
Viner）は、「Facebook は、編集者の代わりにアルゴリズムを使うことに
よって歴史上最も豊かで強力な発信業者になっている」と述べました[33]。

31　Nielsen, R. K. & Graves, L. (2017). *"News you don't believe": Audience Perspectives on Fake News*. Reuters Institute for the Study of Journalism Factsheet (RISJ, Oxford). https://reutersinstitute.politics.ox.ac.uk/sites/default/files/2017-10/Nielsen%26Graves_factsheet_1710v3_FINAL_download.pdf［閲覧日 29/03/2018］

32　Elizabeth, J. (2017). After a Decade, It's Time to Reinvent Social Media in Newsrooms, American Press Institute. https://www.americanpressinstitute.org/publications/reports/strategy-studies/reinventing-social-media/single-page/［閲覧日 29/03/2018］

33　Viner, K. (2017). A mission for journalism in a time of crisis, *The Guardian*, November 17th, 2017. https://www.theguardian.com/news/2017/nov/16/a-mission-for-journalism-in-a-time-of-crisis［閲覧日 29/03/2018］

ソーシャルメディアは「新しいゲートキーパー」[34]として称賛されているが、情報の検証とキュレーションなど伝統出版業者の監督責任を果たすことには消極的である一方、一部のコンテンツに対しては検閲を行いメディアの自由を侵害しています[35]。ソーシャルメディア企業は偽情報と誤情報に関わる取り組みを展開しているものの、a）グローバルな規模での十分な対応と、b）社会的かつ民主的な影響のために出版業者が果たす責任の取り方に対しては反対しています。その結果、それらのプラットフォームが「情報障害」とオンライン悪用の根源になってしまいました[36]。

　2016年以降[37]、特に発展途上国でのニュース発信と偽情報の拡散における Facebook のアルゴリズムの機能は、主としてオープンなソーシャルメディア・プラットフォームの守備範囲に影響を与えるコンピューテーショナルなプロパガンダの文脈で精査されるようになりました[38]。最初 Facebook は、ニュース組織とジャーナリズム研究機関と協力し、信頼できる情報を見つけやすくしたり、虚偽や紛らわしい情報にフラグを付けたりするなど、情報危機を解決する公約と行動を取ってきました。ところが、Facebook は 2018年1月にこうした方針を急に撤回したのです[39]。

34　Bell, E. & Owen, T. (2017). The Platform Press: How Silicon Valley Reengineered Journalism. Tow Center for Digital Journalism. https://www.cjr.org/tow_center_reports/platform-press-how-silicon-valley-reengineered-journalism.php ［閲覧日 29/03/2018］

35　Hindustan Times (2016). Facebook Says Will Learn from Mistake Over Vietnam Photo. http://www.hindustantimes.com/world-news/facebook-says-will-learn-from-mistake-over-vietnam-photo/story-kwmb3iX6lKgmwaIGZeKlyN.html ［閲覧日 29/03/2018］

36　Posetti, J. (2017). Fighting Back Against Prolific Online Harassment, The Conversation, June 29th 2017. https://theconversation.com/fighting-back-against-prolific-online-harassment-in-the-philippines-80271 ［閲覧日 29/03/2018］

37　Finkel, Casey & Mazur (2018). op. cit.

38　Grimme, C., Preuss, M., Adam, L., & Trautmann, H. (2017). Social Bots: Human-Like by Means of Human Control? *Big Data*, 5(4). http://comprop.oii.ox.ac.uk/publishing/academic-articles/social-bots-human-like-by-means-of-human-control/ ［閲覧日 29/03/2018］

39　Wang, S., Schmidt, C. & Hazard, O. L. (2018). Publishers claim they're taking Facebook's newsfeed changes in their stride-is the bloodletting still to come? NiemanLab.

視聴者エンゲージメントが開放的なソーシャルメディアシステムから
より閉鎖的なシステムへとシフトすることは、ニュース発信と質の高い
ジャーナリズムの持続可能性に全く新しい影響を与えると思われます。
さらに、フィルター・バブルの発生と偽情報の急激な拡散といった付加
的なリスクも追加されます[40]。これらにはグーグル検索エンジンのアルゴ
リズムの問題も含まれます。グーグルは2018年初頭すでに自社のアル
ゴリズムが確証バイアスを強める傾向があると認めています。本書を執
筆している時点で、グーグルはこの問題に取り組んでいることを表明し
ていました。グーグルの発言は次の通りです。「様々な情報源から合法
的かつ多様な観点が提供されています。我々は利用者に対して複数の情
報源からの観点を可視化し、さらに接続可能性を提供したいです。」[41]

「情報障害」がジャーナリズムとニュース産業にもたらす結果

　▷不正確な、捏造された、あるいは紛らわしい情報をシェアするニュースブ
　　ランド、そしてジャーナリストに対する信頼性をさらに低下させること。
　▷質の高い報道と偽情報との混合、ニュースになりすました宣伝であること
　　をはっきり示さないネイティブ広告が一般大衆の不信感を増加させること。
　▷ジャーナリズムのビジネスモデルに対する不安が増加すること。視聴者
　　はもはや、危機や災害時に、信頼でき、検証された情報が公共の利益の
　　ために共有されると信じて、ニュースメディアを利用することはないだ

　　http://www.niemanlab.org/2018/01/publishers-claim-theyre-taking-facebooks-news-feed-
　　changes-in-stride-is-the-bloodletting-still-to-come/［閲覧日 29/03/2018］
40　Alaphillippe, A. (2018). Facebook's Newsfeed Changes Are Probably Going to be Great
　　for Fake News, The Next Web. https://thenextweb. com/contributors/2018/01/2018/
　　facebooks-news-feed-changes-probably-going-great-fake-news/［閲覧日 29/03/2018］
41　Hao, K. (2018). Google is finally admitting it has a filter bubble problem, Quartz. https://
　　qz.com/1194566/google-is-finally-admitting-it-has-a-filter-bubble-problem/［閲覧日 29/
　　03/2018］

ろう。社会的信頼こそニュースブランドへの信頼度を支え、持続可能な
ニュース・ビジネス・モデルを築くのに必要不可欠です。

▷より広い社会においての連動効果として、責任感のある発信主体（例：
調査報道を通じて）としてのジャーナリストの役割が弱体化すること。

▷インターネットの閉鎖やプラットフォームの遮断、検閲など、言論と
表現の自由を損害する取り締まりが行われること（時として「フェイク
ニュース」を根絶するという理由で正当化されます）。

▷偽情報の提供者がジャーナリスト（特に女性のジャーナリスト）をター
ゲットに悪質なオンライン・ハラスメントを行い、批判的な報道の信憑
性を傷付ける。ジャーナリストを偽情報と誤情報の拡散に巻き込もうと
意図的に行われる[42]。

ニュース産業の新たな取り組み：ニュース組織がいかに「フェイクニュース」を取り扱い、「情報障害」に対応しているのか

ここまで示した問題と危険性に対して、専門的な警戒、報道倫理への
コミットメント、情報と情報源の両面において高い報道・検証基準（協
力的な検証を含めて）のみならず、より積極的な探査と独創的な報道が
求められます。

ここからは、ニュース組織と記者個人が、報道、ニュースリテラシー
という側面での視聴者との関わり、偽情報への対応のために努力した事
例を紹介します。

▷ザ・ガーディアンは偽情報の拡散に対応するためにInstagramのス
トーリー機能を活用し、若い視聴者向けの動画配信を行っています。
https://www.instagram.com/p/BRd25kQBb5N/（ザ・ガーディアン紙の

42　詳細な分析についてはモジュール7を参照のこと。

「フェイクニュースを知るためのクイズ」も参照。https://www.theguardian.com/theguardian/2016/dec/28/can-you-spot-the-real-fake-news-story-quiz)

▷ ラップラー（Rappler）は、調査報道とビッグデータ分析を併用してフィリピンの民主主義に影響を与えた自作自演のプロパガンダ・ネットワークについて暴露しました。https://www.rappler.com/nation/148007-propaganda-war-weaponizing-internet

▷ ニューヨーク・タイムズは事例を通じてこの問題について強力な解説報道を行いました。https://www.nytimes.com/2016/11/20/business/media/how-fake-news-spreads.html

▷ コロンビア・ジャーナリズム・レビューはこの問題について自己省察的な実践分析を試みました。https://www.cjr.org/analysis/how_fake_news_sites_frequently_trick_big-time_journalists.php

▷ ガーディアン・オーストラリアは気候変動への否定を呼び止めるため、記者のためのガイドブックを出しました。https://www.theguardian.com/environment/planet-oz/2016/nov/08/tough-choices-for-the-media-when-climate-science-deniers-are-elected

▷ 2017年にフランスで大成功した選挙監視プロジェクト「クロスチェック（CrossCheck）」を参考に、同年の日本の総選挙期間中、ジャーナリストと研究者が協力してファクトチェッキングを行いました。http://www.niemanlab.org/2017/10/a-snap-election-and-global-worries-over-fake-news-spur-fact-checking-collaborations-in-japan/

▷ 米国にジャーナリズムの講師と学生が協力するエレクションランド（ElectionLand）という面白い事例があります。https://projects.propublica.org/electionland/[43]

43　編者メモ：クロスチェックとエレクションランドは、選挙中に拡散される偽情報に対応するために一時的な協力としてプロジェクトを立ち上げる新しい現象の一部である。そうした「ポップアップ型」のパートナーシップは、すでに活動中のファクトチェッキング団体の不在・弱点・孤立といった状況を補完でき

▷ケンブリッジ・アナリティカ・スキャンダルに関して、ザ・オブザーバー＆ザ・ガーディアン（The Observer & The Guardian）、チャンネル4ニュース、ニューヨーク・タイムズなどが協力したグローバルな調査報道、及び、ヴォクス・メディア（Vox Media）の知識中心的なアプローチは、視聴者があの複雑な裏事情を理解するのに役に立ちました。a. https://www.vox.com/policy-and-politics/2018/3/21/2017141428/cambridge-analytica-trump-russia-mueller b. https://www.vox.com/policy-and-politics/2018/3/23/2017151916/facebook-cambridge-analytica-trump-diagram

▷ザ・クィント（The Quint）は、インドのWhatsAppで広まる偽情報に対応するため、視聴者の力を活用し、検証されたコンテンツをアプリで独創的にキュレート（必要な情報をたくさんの情報源から収集、整理、要約、公開（共有）すること）しました。https://www.thequint.com/neon/satire/whatsapp-indian-elections-and-fake-propaganda-satire[44]

　講師が学生自身の地域と言語に関わる事例を追加することを勧めます。また、「フェイクニュース」の時代に倫理的なジャーナリズムの実践を促すチャーリー・ベケット教授の貴重な戦略提言も参考にできます。彼はジャーナリストに次のような提言を述べています。

▷つながる：すべてのプラットフォームに存在し、アクセス可能性を維持する[45]。

る貴重な動きである。

[44]　メモ：偽情報の拡散におけるチャットアプリの役割を調べた研究は以下より。Bradshaw, S & Howard, P. (2018). *Challenging Truth and Trust: A Global Inventory of Organized Social Media Manipulation*. Working Paper 2018.1. Oxford, UK: Project on Computational Propaganda. http://comprop.oii.ox.ac.uk/wp-content/uploads/sites/93/2018/07/ct2018.pdf［閲覧日 20/8/2018］

[45]　メモ：編者は、すべてのジャーナリストがすべてのプラットフォームをカバーすることは不可能だと承知している。しかし、報道局のレベルで、Twitter、

▷キューレートする：利用者がどんな所からでも良いコンテンツを見つけるように手伝う。

▷関連性を持つ：利用者の言葉を使い、独創的に「聞く」。

▷専門家になる：価値、洞察、経験、脈絡を加える。

▷正直である：ファクトチェックを行い、バランス・正確性を保つ。

▷人間性を保つ：共感と多様性を重視し、建設的である。

▷透明性を保つ：情報源を示す、責任をとる、批判を許す[46]。

モジュールの目的

▷ニュース産業を弱化させる構造的な原因、及び偽情報と誤情報の展開について理解する。

▷「情報障害」という現象に対するニュース産業の対応について批判的に分析する。

▷偽情報の危機を進化、永続化させるプラットフォームの役割を批判的に理解する。

▷危機に効果的に対応するためのジャーナリストとニュース組織の最新かつ良い実践から学ぶ。

学習成果

このモジュールの終了時に、参加者は以下のことを学習成果として修得します。

Facebook、Instagram など人気のあるプラットフォームに加えて、まだ影響力は少ないが新しく浮上したプラットフォームにそれぞれ担当するジャーナリストを割り当てることは役に立つだろう。

46　Beckett, C. (2017). op. cit.

1. ニュースメディアによる誤った情報の報道及び発信がもたらす幅広い結果とその構造的原因について批判的に評価できます。
2. ニュースになりすました偽情報と誤情報の口コミでの拡散を可能にするテクノロジーと「新しいゲートキーパー」（例：プラットフォーム）の役割を批判的に理解できます。
3. 偽情報と闘っているニュース産業内での最新かつ良い実践を識別できます。

モジュールの形式

このモジュールは、対面あるいはオンライン学習のために設計されています。理論と実践演習という2つのパーツに分けて実行することを勧めます。

上記成果のための学習計画

A. 理論

モジュール計画	時間	学習成果
双方向性の講義と質疑応答という伝統的なセッションとして、あるいは、遠隔での参加を促すウェビナー・プラットフォームを通して行う。 講義内容は、上記の理論と事例で組む。一方、講師には文化的／地域的により関連性のある事例を含めることを勧める。 より良い学習成果のために、専門家のパネル討論の形式として講義を充実化させることが望ましい。また、ジャーナリスト、エディター、プラットフォームの代表者を討論者として招き、質疑応答を行うことで参加者たちの直接的な参加を促す。	60 － 90分	1, 2, 3

B. 演習

モジュール計画	時間	学習成果
ワークショップやチュートリアルは、従来の教室設定、あるいは、ムードル（Moodle）や Facebook グループなど遠隔参加用の e ラーニング・プラットフォームで行うことができる。ワークショップ／チュートリアル演習は次の形式を採用することができる。 チュートリアルは 3 〜 5 名が参加する複数のワーキンググループに分けて行う。各グループは： ⅰ．偽情報・誤情報を無意識的に配布するニュース機関の事例を提供される。 ⅱ．提供された事例について一緒に評価を行い、誤った報道の文脈と発端（例：速報であるか）について調べる；その事態を起こした原因について討論する（報道局の縮小やソーシャルメディア・プラットフォームの役割など構造的な要素に着目する）；偽情報に惑わされた自らの経験について話し合う。 ⅲ．共同作業を通して英文 250 ワード［日本語で 500 字程度］の分析報告書を作成する。間違った情報の発信を防ぐために、ジャーナリストやニュース組織が実践できるはずだった方法を 3 つ示しながら、間違った発信の理由を分析する。グーグル・ドキュメント、あるいは、類似した共同作業ツールを使って報告書を作成し提出し、講師にレビューしてもらう。	90 － 120 分	1, 2, 3, 4

課題案

　事例研究報告書（英文2000ワード［日本語4000字程度］）。ニュース組織による偽情報の拡散と調査報道に関する3つの事例（その中の1つは自分の国／地域に関するもの）を見つけさせます。それぞれの事例を詳細に分析し（偽情報／誤情報を発信した原因と結果を論じる）、各ケース研究から得られる教訓を学びます（メモ：参加者はこのモジュールのワークショップで提供されたものでなく、新しい事例を選択すべきです）。

参考文献

Bakir, V. & McStay, A. (2017). Fake News and the Economy of Emotions. *Digital Journalism*. Taylor and Francis. http://www.tandfonline.com/doi/abs/10.1080/21670811.2017.1345645 ［閲覧日 29/03/2018］

Bell, E. & Owen, T. (2017). The Platform Press: How Silicon Valley Reengineered Journalism. Tow Center for Digital Journalism. March 29th, 2017. https://www.cjr.org/tow_center_reports/platform-press-how-silicon-valley-reengineered-journalism.php ［閲覧日 29/03/2018］

Ireton, C. (Ed) (2016). *Trends in Newsrooms 2016* (WAN-IFRA, Paris). http://www.wan-ifra.org/sites/default/files/field_media_image_file_attach/WAN-IFRA_Trends_Newsrooms_2016.pdf ［閲覧日 29/03/2018］

Kalsnes, B. & Larsson, O. A. (2017). Understanding News Sharing Across Social Media: Detailing distribution on Facebook and Twitter, *Journalism Studies*, Taylor and Francis. http://www.tandfonline.com/doi/abs/10.1080/1461670X.2017.1297686?scroll=top&needAccess=true&journalCode=rjos20 ［閲覧日 29/03/2018］

Nielsen, R. K. (2012). *The Ten Years That Shook the Media World: Big Questions and Big Trends in International Media Developments* (Reuters Institute for the Study of Journalism, Oxford). https://reutersinstitute.politics.ox.ac.uk/sites/default/files/2017-09/Nielsen%20-%20Ten%20Years%20that%20Shook%20the%20Media_0.pdf ［閲覧日 29/03/2018］

McChesney, W. & Picard, V. (Eds) (2011). *Will the Last Reporter Please Turn Out the Lights: The Collapse of Journalism and What Can Be Done to Fix it*. New York: The New Press.

Mitchell, A., Holcomb, J. & Weisel, R. (2016). State of the News Media. Pew Research Center. http://assets.pewresearch.org/wp-content/uploads/sites/13/2016/06/30143308/state-of-the-news-media-report-2016-final.pdf

［閲覧日 29/03/2018］

Posetti, J. (2009). *Transforming Journalism...140 Characters at a Time*, Rhodes Journalism Review, (29). http://www.rjr.ru.ac.za/rjrpdf/rjr_no29/ Transforming_Journ.pdf ［閲覧日 29/03/2018］

Posetti, J. (2013). The 'Twitterisation' of investigative journalism in S. Tanner & N. Richardson (Eds.), *Journalism Research and Investigation in a Digital World.* pp. 88-100. Oxford University Press, Melbourne. http://ro.uow.edu.au/cgi/ viewcontent. cgi?article=2765&context=lhapapers ［閲覧日 20/03/2018］

Posetti, J. & Silverman, C. (2014). When Good People Share Bad Things: The Basics of Social Media Verification in Posetti (Ed) *Trends in Newsrooms 2014.* (WAN-IFRA, Paris). http://www.wan-ifra.org/sites/default/files/field_media_image_ file_attach/WAN-IFRA_Trends_Newsrooms_2014.pdf ［閲覧日 29/03/2018］

Posetti, J. (Ed) (2015). *Trends in Newsrooms 2015.* (WAN-IFRA, Paris). http:// www.wan-ifra.org/sites/default/files/field_media_image_file_attach/WAN-IFRA_Trends_ Newsrooms_2015.pdf (*Trends in Newsrooms 2014*も参照のこと) ［閲覧日 29/03/2018］

RISJ (2018). *Digital News Report 2018.* University of Oxford. http:// media. digitalnewsreport.org/wp-content/uploads/2018/06/digital-news-report-2018.pdf?x89475 ［閲覧日 29/06/2018］

Silverman, C. (2015). Lies, Damn Lies and Viral Content. *Tow Center for Digital Journalism.* http://towcenter.org/wp-content/uploads/2015/02/ LiesDamnLies_Silverman_TowCenter.pdf ［閲覧日 29/03/2018］

Society of Climate Change Reporters (2016). Climate Change: A Guide to Information and Disinformation. http://www.sej.org/initiatives/climate-change/overview ［閲覧日 29/03/2018］

UNESCO (2017). States and journalists can take steps to counter 'fake news'. https://en.unesco.org/news/states-and-journalists-can-take-steps-counter-fake-new ［閲覧日 29/03/2018］

メディアと情報リテラシーによる
偽情報と誤情報との戦い

マグダ・アブ＝ファディル

MODULE 4

はじめに

　このモジュールはMedia and Information Literacy（MIL）[1]すなわちメディアと情報リテラシーという概念を学生に紹介し、明確な、また時には隠れたメッセージの中にある情報障害を見つけ出す手段としてニュースを理解することについて学ぶものです。MILとはユネスコで使用されている包括的な概念で、情報全般、中でも特にメディアについて、様々な能力が相互に関係していることを強調するものです。それは例えば人権に関するリテラシー（特に表現の自由、すなわち人々が情報を探し、受け取りそして情報や意見を表現する権利について）、ニュースリテラシー（ジャーナリズムに関する基準や倫理を含む）、広告リテラシー、コンピューターリテラシー、関心経済と呼ばれるアテンションエコノミーの理解、異文化間リテラシー、プライバシーに関するリテラシー、などがあります。また、それはコミュニケーションが個人のアイデンティティや社会的発展とどう関わっているかも含んでいます。MILは自らのアイデンティティがどのように共に形成されているかや、どのように濃霧の中で情報の「地雷」を避けて進む方向を決めるかを知るために必要な、必須のライフスキルになりつつあります。MILは我々の消費生活、生産活動、発見、評価、情報の共有を、また現在の情報社会において自分自身や他者を理解することを伝えます。

　ニュースリテラシーとは、ニュースというジャンルの言語やしきたりを理解し、これらの特徴が悪意を持った者にどのように悪用されうるかを認識する特定の能力のことを指します。この能力が重要なのは間違いないですが、それだけではニュースの形をした偽情報に対して万全の対応が可能になるとは考えにくいです。なぜなら、人間は知性のみならず、感情を通じてもコミュニケーションを行うからです。したがって

1　https://en.unesco.org/themes/media-and-information-literacy［閲覧日 16/06/2018］

MILはまた、人々がニュースのコンテンツにどのように反応するかについて、またニュースというジャンルが出すメッセージとは関係ないときでも人々が情報に信憑性を与えるかどうかに関してもつ傾向について人々の間で意識を高めることに注意を払う必要があります。

したがって、MILは本来人々に、自分自身が何者であるか、どんな人間へ成長するのか、そしてそれがニュースやその他の種類のコミュニケーションに対する彼らの関わりにどのように影響を与えうるかについて、つまりは彼ら自身のアイデンティティについて、洞察を与えるべきなのです。このモジュールは、参加者がジャーナリズムと、ジャーナリズムだと主張する情報を見分け、区別できるようにするのが目的です。そうすることで、人は自分自身のアイデンティティを保持しながら、ニュースになりすました偽情報によって意図的に操作されそうになるときでもそれを認識し抵抗できるようになります。

参加者は、分析、解釈、評価、自己制御、推論、そして説明を使うことを含む「意図的な反省的判断」[2]という批判的思考スキルの枠組みを発達させ用いる方法を学びます。

参加者は、活字、放送（ラジオ及びテレビ）、オンライン及びソーシャルメディアのニュースを分析し、含まれるメッセージを要素へと分解しては、情報源とその信頼性（またはその欠如）について学習する、というペースで進みます。

生徒は本物のニュースは実は科学ではなく、プロが採用する専門的な技法や倫理に沿うことにより、間違いを減らしたり偽造を避けたりすることができる専門的な方法と倫理に忠実であるような物語（多様ではあるけれども）の中に埋め込まれているということを学びます。ジャーナリストは様々な人物が嘘をついた場合はそれについて報告・合図すべきです

---

2 Facione, P. (2010, updated). Critical Thinking: What It Is and Why It Counts. Insight Assessment. https://www.insightassessment.com/ ［閲覧日 01/02/2018］

し、逆に誰かの持論を事実として受け入れたり、実際の状況を伝える付随的な但し書きを抜きにこれら情報を聴衆へ伝達すべきではありません。

このモジュールではまた、ジャーナリズム文体を悪用することで、不完全で誤解を招きかねなかったり捏造されたりした末節部から、一見信頼できそうな話を作り出すことがいかに手軽で簡単にできるかについても理解していきます[3]。

このモジュールにおける教材は、誤情報と偽情報への対策としてのMILの重要性についての気づきを高めることに焦点を当てています。これには捏造された「ニュース」を見分けるための批判的思考スキルも含まれます。また、参加者自身が日常生活においてMILを実践する重要性についても意識してもらいます。これは、いかにMILが自分や他者の人権を強固なものにするか、またいかに偽りの助長や拡散を防止することが重要かを理解する上で役に立ちます[4]。

この授業は、インターネットに接続されたコンピューターを通じて実施されます。また参加者は授業中に、自身が保有するモバイルデバイスのオンラインチャットアプリケーションを使用することができます。キャンパス外のソースにアクセスするにはインターネットが必要です。このモジュールは高等教育レベルで行われているので、キャンパス内のイントラネットへのアクセスが図書館やその他キャンパス内の情報リソースセンターにアクセスするために用いられます。

---

3 ジャーナルの例として、以下を参照のこと。Fluent in Journalese by PhilipB. Corbett. March 17, 2015. https://afterdeadline.blogs.nytimes. com/2015/03/2017/fluent-in-journalese/; My 'shameful secret': I've learnt to love clichédjournalese by Rob Hutton. 05 Sep 2013. https://www.telegraph.co.uk/culture/10288967/My-shameful-secret-Ive-learnt-to-love-cliched-journalese.html［閲覧日 22/04/2018］

4 ジャーナリズム教育におけるMILの統合は、例えば Van der Linde, F. 2010.The necessity of a media literacy module within journalism or media studies curricula. *Global Media Journal*, African Edition. Vol 4, no.2. http://globalmedia.journals.ac.za/pub/article/view/7によって研究されている。

概　要

　ニュースを装って偽情報が拡散された例として、2016年と2017年の米国、フランス、ケニア、ドイツの選挙で起こった事例などが挙げられますが、これらは氷山の一角に過ぎず、社会に非常に大きな影響を与えかねません。例えば、世界中のテレビ局やソーシャルメディアのユーザーがリアルタイムで追跡していた、メキシコで起きた地震によって瓦礫に埋もれた女子高生の救出劇#FridaSofiaのことを思い出してください。結局、実際にはそんな人間は存在しませんでした[5]。この話は意図的な偽造のケースではないかもしれませんが、結果的には虚偽でありました。しかし、ジャーナリズムは誤情報と偽情報のいずれも避けなければならないのです。ニュースにおける過ちのすべてが「フェイクニュース」であるとは限りませんが、人々が世界を理解する上で、どちらも障害となります。

　ニュースの消費者には高度なメディアリテラシーや情報リテラシーだけでなく、哲学的な見解もある程度必要です。例えば、ニュースはいつも完璧な「真実」を捉えているものではない、真実は人間同士の相互作用や現実の積み重ねによって近似されているという点を認識しておく必要があります。しかしながら参加者は、中でもジャーナリズムを学ぶものは特に、ジャーナリズムは誤った情報をそのままにするべきではないということを理解しなければなりません。ハリケーンやその他の自然災害の後、民家のプールや裏庭で鯨やサメが目撃されたなどありえないような報道がされたなら、「それは本当なのか？」という反応を引き起こします。検証がなされた事実を尊重しないニュースは、ずさんな報道と不十分な編

5　Campoy, A. (2017). A schoolgirl trapped in Mexico's earthquake rubblewon the world's hearts–except she did not exist. Quartz. https://qz.com/1084105/a-schoolgirl-trapped-in-mexicos-earthquake-rubble-won-the-worlds-hearts-except-she-didnt-exist/［閲覧日 03/04/2018］

集プロセスの結果かもしれませんが、それが意図的な欺瞞や詐欺である場合もあります。MILはその違いを解読するために、そのような事例が専門的で倫理的なニュースとどう違うのかを比較するために必要です。

　その道のりは長いものです。偽りの統計情報や、ポピュリストのレトリック、ジャーナリズムとしての基準を満たさない誤解を招きやすいメディアの報道が招くステレオタイプにより、ヘイトスピーチ、外国人恐怖症、難民または「他の」宗教、民族、肌の色の異なる難民や人々に対する攻撃のレベルは上昇し、MILが挑まなければならない挑戦はさらに困難になります。さらに、人工知能（AI）を使ったコンピュータープログラムにより真実に基づかない動画や音声の中の人々のシミュレーションを作り出すことができるゆえ、これは加速度的に複雑になるでしょう[6]。

　ジャーナリズムの学生や実践者が、日常会話から、伝統的またデジタルマルチメディアで広く普及されているニュースまで、聞いたり見たりする内容について、批判的思考ができるよう導く必要性に迫ります。

　ワードルとデラクシャン（2017）[7]は偽情報と誤情報のタイプを特定しましたが、それに加え、ブリュッセルに拠点を置く非営利組織、視聴者のための欧州協会（EAVI）は市民のためのメディアリテラシーというプログラム内で消費者が今日直面しているニュースをまとめた「フェイクニュースを超えて：誤解を招きやすい10種類のニュース」という便利なインフォグラフィックを作りました[8]。これはジャーナリズムを学ぶ学生、そして実践家にとって貴重なリソースです。

　ピーター・A・ファシオーネ（Peter A. Facione）博士がアップデートし

6　Edmund, C. (2017). This AI can create a video of Barack Obama saying anything. World EconomicForum. https://www.weforum.org/agenda/2017/07/obama-speech-simulation-washington-university?

7　モジュール2を参照のこと。

8　EAVI. (2018). EAVI.eu. https://eavi.eu/beyond-fake-news-10-types-misleading-info

た研究論文「批判的思考：それは何か、なぜ重要か」[9]は、学生が「推論、意思決定、及び効果的な個人及びグループの思考プロセス」を理解する上で有益な出発点となります。これらは「ポスト真実」「フェイクニュース」「オルタナティブな事実」が蔓延する現在、重要性は増すでしょう。このアプローチは以下の批判的思考を含みます。

▷幅広い問題に対する知的好奇心

▷十分な情報を得ることとそれを続けようとする関心

▷批判的思考を用いる機会に対する準備

▷合理的な探求過程に対する信頼

▷自己の推論能力に対する自信

▷多様な世界観に対する寛容性

▷代替案や異なる意見に対する柔軟性

▷他者の意見の理解

▷推論を評価する上での公正さ

▷自己の偏り、先入観、ステレオタイプ、自己中心的傾向を認識し、それに正直に向き合えること

▷判断を留保し、下し、変更する際の慎重さ

▷率直な反省によって考えの修正が求められる状況において、意見を再考し修正することを厭わない姿勢

　様々な調査によると、世界の多くの地域で若者はモバイル機器を利用し[10]、ニュースのほとんどをチャットアプリ、ソーシャルメディア、そ

9　129 Facione, P. (2010, updated). Ibid. *Critical Thinking.*

10　*Children's use of mobile phones.* (2015). [ebook] Tokyo: Mobile SocietyResearch Institute, NTT Dotcomo. https://www.gsma.com/publicpolicy/wp-content/uploads/2012/03/GSMA_Childrens_use_of_mobile_phones_2014.pdf

して場合によっては従来のメディアのウェブサイトやブログ[11, 12, 13]など
を通じて入手していることがわかります。このような場合の多くは、
何が信頼できるジャーナリズムであり、何がアマチュアのニュースなの
か、ましてや何が誤情報なのかを識別する術はありません。

　もう一つの問題は、それぞれのプラットフォームがニュースをどのよ
うに扱うかにあります。例えば、圧倒的に最大のソーシャルメディア・
プラットフォームであるFacebookにとって、「…ジャーナリズムは、創
設当初から苦労のタネであった。いまや、フェイクニュースや悪意ある
PRの問題に行き詰まって、いずれニュースから手を引くことは明らか
だ」とフレディック・フィルー（Frederic Filloux）は述べています[14]。それ
がどのように展開されるかはまだ不明です。Facebookがニュースの取り
扱いを止めた場合、それがソーシャルメディア・プラットフォームに依
存して社会の出来事についていっていたユーザーを導いてきただけに、
報道機関はFacebookが不当だと失望するでしょう[15]。しかし、MILを推進
する者の中にはこのことが若者が、「常時接続」されたデバイスを通じ
て努力もせず情報を取得する今のスタイルから、自分の身の周りで起き
ていることを理解し、情報汚染が蔓延するソーシャルメディアのみに依
存しない新たな情報消費へとあり方を変えることにつながると期待する
者もいます。同時に、Facebookがニュース制作自体に参加し、既存のメ

11　*Digital News Report* (2017). Reuters Institute for the Study of Journalism's (RISJ,
　　Oxford). https://reutersinstitute.politics.ox.ac.uk/sites/default/files/Digital%20News%20
　　Report%202017%20web_0.pdf
12　Shearer, E. & Gottfried, J. (2017). *News Use Across Social Media Platforms*. [ebook]
　　Washington DC: Pew Research Centre. http://www.journalism.org/2017/09/07/news-use-
　　across-social-media-platforms-2017/
13　Youth, Internet, and Technology in Lebanon: A Snapshot (2017). Social Media Exchange.
　　https://smex.org/youth-internet-and-technology-in-lebanon-a-snapshot/
14　Filloux, F. (2018). The Monday Note, 14 January, 2018. https://mondaynote.com/
　　facebook-is-done-with-quality-journalism-deal-with-it-afc2475f1f84
15　モジュール3を参照のこと。

ディアの主要アクターと競争する可能性がある点も指摘されています[16]。

　MILを通じて学習者は、本物のニュースにおいても、事実に意味を与えるような広い語りの枠組みにおいて意味が生成そして消費されること、そしてその枠組みがより広い前提、イデオロギー、アイデンティティを含意しているという認識を学ぶことができます。これはつまり、多様な視点から特徴ある現実を捉えようとするジャーナリズムと、ニュースの形式を装いながら、ジャーナリズムとして必須な検証ができない欺きをちゃんと識別できるようになることです。

　MILはまたステレオタイプに対抗し、異文化コミュニケーションを促進できるツールにもなり得ます。多言語使用は目標を達成する上で重要な要素と言えます。MILの取り組みについては様々な関係者が貢献しており、ユネスコのウェブサイト[17]には有用なリソースがあります。しかし偽情報と誤情報の影響に対抗するためには、カリキュラムや実践を通じて、まだまだ多くのことがなされなければいけません[18]。

　このモジュールがインパクトを持つために、動画という普遍的な媒体を用いて、短いキャプションつきのビデオをMILの「エデュテインメント（教育的エンターテインメント）」として[19]流し、虚偽のメッセージを取り上げて学習者に誤解を招きやすい素材の例を見つけてもらい、

16　Is Facebook's CampbellBrown a Force to Be Reckoned With? OrIs SheFake News? https://www.nytimes.com/2018/04/21/technology/facebook-campbell-brown-news.html

17　以下を参照のこと。http://www.unesco.org/new/en/communication-and-information/media-development/media-literacy/mil-as-composite-concept/［閲覧日 22/04/2018］

18　Abu-Fadil, M.(2007). *Media Literacy: A Tool to Combat Stereotypesand Promote Intercultural Understanding.* http://unesdoc.unesco.org/images/0016/001611/161157e.pdf ［閲覧日 01/04/2018］

19　以下は、Vice Mediaが米国の学校での銃乱射事件において、ニュースメディアリテラシーの価値を示すために動画が効果的に使用された例。ホクサーズ（陰謀論者）は銃乱射事件の犠牲者を「クライシスアクター」だと言い、Vice SelectはFacebookで報告されている。https://www.facebook.com/vicenews/videos/842904982564160/［閲覧日 01/04/2018］

115

ニュースとして取り上げたものを含めすべてのコンテンツを取り上げる習慣をつけてもらいます。

　講師はまた、参加者の安易な「何でもググる」傾向に対して、高度な検索機能や、複数の情報源を比較検討したり、情報検索や評価のリテラシーを考える上で図書館や図書館員を利用するなどの選択を示すことで、より深い情報検索のあり方を学習させます[20]。電子図書館の登場で、学術文献などが参照可能になり、ジャーナリズム専攻の学生やジャーナリストの見習いなどは情報を批判的に評価・検証するためのプロセスや実践の知識を容易に学ぶことができるようになりました。他のリソースも、参加者がジャーナリズムの一環としてとして、詐欺的なニュースの論争に加わり、そのネガティブな影響から身を守り、そしてそれらを暴けるようになることを助けます[21]。

　偽情報や誤情報を検知し共有しているソーシャルメディアユーザーとの交流も、ジャーナリストやジャーナリズムを学ぶものが、自分自身やコミュニティのために虚偽を発見、追跡し、そしてそれを暴くために効果的な方法です。講師はこれらの観点からこのモジュールの演習を検討すべきでしょう。

　このモジュールを検討する上でノートルダム大学（レバノン）のシニア・メディア講師兼研究者であるロウバ・エル・ヘロウ（Rouba El Helou）の言葉は有用でしょう。「様々なメッセージを解読するために必要なスキルを人々に身につけさせることは、メディア教育者のみならずジャーナリストも総動員で継続的に取り組むべきことです。メディアリ

20　15 resources for teaching media literacy. ASCD. http://inservice.ascd.org/15-resources-for-teaching-media-literacy/ ［閲覧日 03/04/2018］

21　一例として、イサカ大学のメディア リテラシーイニシアティブである Project Look Sharp が挙げられる。このプロジェクトにはメディアリテラシーガイド、カリキュラムキット、ダウンロード可能な配布資料がある。www.projectlooksharp.org. ［閲覧日 23/03/2018］

テラシーは、人々がニュースソースへの信頼をいかに持つかということと、同時にニュースを疑うために必要な疑念をもつこと、この両者のバランスを見出す上で有効なのです。」

 ## モジュールの目的

このモジュールの目的は下記となります。

▷ ジャーナリズム（及び様々なジャーナリズムの変異体）、様々なメディア媒体に存在する欠陥のあるジャーナリズムと詐欺的なニュースの両方を検出するために必要なリテラシー[22]と関連スキル[23]を身につけることを重要視すること。

▷ 参加者に、様々な種類のメディアを通じたニュースの消費について解き明かすスキル、それがいかに簡単に創生できるかを理解するスキルを身につけさせること。

▷ 参加者にレポート、投稿、フィード、写真、ビデオ、オーディオコンテンツ、インフォグラフィックス、統計を適切な文脈で正確さを評価し、消費するすべての情報に対して健全に懐疑する精神を育めるように教えること。

22　メディア及び情報リテラシーに関する情報については、ユネスコのMIL概念を参照のこと。http://unesco.mil-for-teachers.unaoc.org/ foreword/unifying-notions-of-media-and-information-literacy/［閲覧日 22/4/2018］

23　Facione（2010）に定義された批判的思考のスキルの他に、参加者には懐疑的になること、すべてを疑うこと、何も仮定しないこと、情報源をファクトチェクすることが奨励されるべきである。

学習成果

このモジュールの終了時に、参加者は以下のことを学習成果として修得します。

1. 事実とフィクションを区別するだけでなく、本物のジャーナリズムにおける潜在的に多様な語りや物語の正当性を見分けることができます。
2. ストーリーがどのように選択されているか、誰がコンテンツを制作しているか、現実の忠実な表現を成し遂げるためにどのような方法が使われているか、言語がどのように使われているか、何が強調されているか、何が省略されているか、誰が何を言っているか、その人の重要性、信頼性、その人の意図が何か、そのニュースがどのような影響を与えた（与えうる）か、他の人が同じニュースをどのように視聴し解釈するか、などを理解します。
3. 自身のMILレベルについて自覚し、それが自分個人にとって何を意味するか、情報やコミュニケーションの関わり方とどのように関係しているかを理解します。

モジュールの形式

このモジュールは90分の2つのセッションに分かれています。最初のセッションは理論的なもので、2つ目のセッションは実践的なものになります。ディスカッションにより、MILが何を意味するのかということ、そして偽情報、誤情報、その他ねじ曲げられた情報がマスメディア、ソーシャルメディアなどを介して広く拡散されてしまう時代におけるMILの重要性を考えます。この授業で使用される資料はインターネット上に存在し、研究や実践的な演習に役立つ資料がたくさん保存されています。

有用なサイトは以下の通りです。

▷ UNESCO http://en.unesco.org/and its Media Literacy site https://en.unesco.org/themes/media-literacy

▷ United Nations Alliance of Civilisations https://www.unaoc.org/

▷ Media and information literacy curriculum for teachers http://www.unesco.org/new/en/communication-and-information/resources/publications-and-communication-materials/publications/full-list/media-and-information-literacy-curriculum-for-teachers/

▷ 5 laws of MIL http://www.unesco.org/new/en/communication-and-information/media-development/media-literacy/five-laws-of-mil/

▷ Common SenseEducation https://www.commonsense.org/education/top-picks/media-news-and-information-literacy-resources-for-students

▷ EAVI Media and Literacy for Citizenship https://eavi.eu/beyond-fake-news-10-types-misleading-info/

▷ The News Literacy Project http://www.thenewsliteracyproject.org/, the Center for News Literacy at Stony Brook University http://www.centerfornewsliteracy.org/

▷ Mind over Media http://propaganda.mediaeducationlab.com/

▷ The Digital Resources Center (Center for News Literacy)http://drc.centerfornewsliteracy.org/

▷ The Center for Media and Information Literacy at the University of RhodeIsland https://centermil.org/resources/, to name a few

講師は、それぞれの国や地域の言語の資料を適時追加してください。

また教室ではコンピューターが設置され、講師と生徒がメディアや情報リテラシーに関する組織のウェブサイトやメディアのケーススタディを学ぶためにインターネットにアクセスできる環境が推奨されます。

上記成果のための学習計画

A. 理論

講師は、MILとニュースを装った偽情報、誤情報に関する資料や事例を紹介します。

モジュール計画	時間	学習成果
批判的思考の枠組みを含むMILとそのツールについて説明・議論する。	45分	1 + 3
様々なメディア形式において、それぞれの地域に関連した事例を取り上げ、議論する。	45分	1 + 2

B. 演習

学習教材やツールに関するアクティビティ。

モジュール計画	時間	学習成果
演習	90分	1 + 3
実践1：ジャーナリズムを理解する 地元の新聞の一面記事を取り上げます。各学生は、同じテーマの3つの異なるメディアからの記事を研究、検証します。 講師は生徒に批判的思考のテクニックを適用するよう求めディスカッションを先導します。また、ニュースのフレーミング、トピックの選択、記事の根底に流れるものについて理解させます。この作業を通じて、特にニュースの慣例（誰が、何を、どこで、いつ、どのように、なぜという要素；直接引用の使用；専門家や権威ある情報源の使用、画像の適切性、捏造されたニュースで使用されるジャーナリズムの典型的用語などニュースらしさを装う要素）について注意させます。	45分	

モジュール計画	時間	学習成果
実践2：誤情報をニュースとして提示する 学生に詐欺的ニュースの例を示し、何が効果的で、どこで馬脚を現すのか、について考えさせます。 続いてこの演習で取り扱った記事に対して、これから起きる出来事をでっち上げ、あたかも正当なニュースに見えるよう手を加えさせます（学生自らが偽情報のトピックを選択するという代替案もあります）。 完成後、学生はグループに分かれ、どういう要素がニュースを本物のように見せたか、意見交換をし、相互評価をします。 評価方法としてはテストもありえますが、正統なジャーナリズムのどの要素が悪用されたかを特定できるようになることも含まれるべきでしょう。 その後、再度グループ分けをし、自分たちの発見をクラス全体で共有するために短いプレゼンテーションを行います。	45分	1＋3

課題案

　学生自身が使用するソーシャルメディアのフィードを検索して、科学や医療のニュースを見つけます（例：ダイエット、感染流行、地球温暖化が自分たちの地域社会に与える影響、電気自動車と燃料自動車の効率性の比較など）。

　その後生徒は自身の調査、確証バイアス（該当する場合）、問題に対する感情的な反応を評価し、それが検索、評価、デジタル・セキュリティ、権利、アイデンティティなどのMILの諸問題とニュースの中核的な倫理原則と一致しているかを確認します。

　その上で調査から得られた次の情報を提供します。誰が記事を作成したのか、報告者はどのようにして何が出版されたかを知ったのか、その人が記事内容を広めることで利益を得るか否か、データ、統計、イン

フォグラフィックの二重チェック。可能であれば、学生は大学の図書館や電子図書館を利用してデータの検証を行います。

　最後に自分で発見したことに関して、取り上げたコンテンツでの強み、弱み、省略されたこと、失敗したことを分析してメディア批判について英文1500ワード［日本語3000字程度］の報告書を作成します。

教　材

　スライド、写真、ビデオなどを含む参考資料は以下の通りです。講師は、それぞれの国と文脈に沿った写真やビデオを含めるようにして、独自の教材を作成するようにしましょう。

参考文献

Abu-Fadil, M. & Grizzle, A. (2016). *Opportunities for Media and Information Literacy in the Middle East and North Africa.* https://milunesco.unaoc.org/wp-content/ uploads/MIL-Mena-2016-english.pdf ［閲覧日 05/01/2018］

A lexicon for the digitalage. (2017). The Unesco Courier, (July-September 2017). https://en.unesco.org/courier/2017-july-september/lexicon-digital-age ［閲覧日 06/04/2018］

Facione, P. (2010). Critical Thinking:What It Is and Why It Counts. Insight Assessment. https://www.insightassessment.com/ ［閲覧日 05/01/2018］

Gray, J., Bounegru, L.&Venturini, T. (2017). What does fake news tell us about life in the digital age? Not what you might expect. NiemanLab. http://www.niemanlab.org/2017/04/what-does-fake-news-tell-us-about-life-in-the-digital-age-not-what-you-might-expect/ ［閲覧日 06/04/2018］

Stephens, B. (2017). The Dying Art of Disagreement. *The New York Times.* https://www.nytimes.com/2017/09/24/opinion/dying-art-of-disagreement.

html［閲覧日 06/04/2018］

追加参考資料

Lytvynenko, J. (2018). Here's How A Canadian Imam Got Caught Up In Fake News About Houston. BuzzFeed. https://www.buzzfeed.com/ janelytvynenko/ toronto-imam-caught-up-in-fake-news?bftw&utm_term=. ha3w9B5rr#.acEgmYE66［閲覧日 06/04/2018］

Mulrooney Eldred, S. (2017). In an era of fake news, students must act like journalists: schools rarely require news literacy, but it's more important than ever. Science News. https://www.sciencenewsforstudents.org/article/era-fake-news-students-must-act-journalists［閲覧日 06/04/2018］

Rusbridger, A., Neilsen, R. and Skjeseth, H. (2017). We asked people from all over the world how journalists should cover powerful people who lie. Here is what they said. Reuters Institute for the Study of Journalism, Oxford University. https:// reutersinstitute.politics.ox.ac.uk/risj-review/we-asked-people-all-over-world-how-journalists-should-cover-powerful-people-who-lie［閲覧日 12/06/2018］

Vesey-Byrne, J. (2017). Bikini designer exposes why you shouldn't trust everything you see on Instagram. *The Independent*. https://www. indy100.com/ article/bikini-designer-instagram-before-after-karina-irby-7934006?amp［閲覧日 06/04/2018］

検証：ファクトチェック入門

アレクシオス・マントザルリス

MODULE 5

はじめに

> 他者の説得を行っている政治家からマーケティング担当者、権利擁護団
> 体からブランドという様々なアクターは、事実を歪曲し、誇張し、隠蔽
> する動機を持っています。このモジュールは、学習者がファクトチェッ
> クの対象となりうる主張に気づき、倫理的な規範に則って批判的思考を
> 働かせながらエビデンスを検証するスキルを身につけられるようにする
> ことを目指します。

概　要

アカウンタビリティ・ジャーナリズムとしてのファクトチェックの歴史と意味論

　米国のニューヨーク州選出の上院議員で、駐印米国大使、国連大使を歴任した有名なダニエル・パトリック・モイニハン（Daniel Patrick Moynihan、1927-2003）にはこのような名言があります。「誰もが自分なりの意見を主張する権利はあるが、自分なりの事実を主張する権利はない。」

　ジャーナリズムの分野においては、「ファクトチェック」[1]という用語に2つの意味があります。ファクトチェッカーは以前から、記者による記事の校正を行い、主張が事実であるかどうかを確かめるためにニュースルームに採用されていました。この類のファクトチェックは、報道の確実性を確かめ、事実や数字を再確認し、報道機関によるコンテンツの全体的な品質管理の役割を果たしています。少なくとも西欧では、現代ジャーナ

1　Moynihan, D. & Weisman, S. (2010). *Daniel Patrick Moynihan.* New York: PublicAffairs.

リズムにおけるこの実践の始まりは、タイム誌（TIME）など1920年代の米国の大手雑誌でのファクトチェックであるとされています[2]。

　21世紀初頭の景気後退は世界の大半の報道機関に影響を与え、ファクトチェック部門の縮小、報道局との合併または完全廃止をもたらしました[3]。昨今、専任のファクトチェッカーを未だに雇用しているのは、主に米国の『ザ・ニューヨーカー』（The New Yorker）やドイツの『デア・シュピーゲル』（Der Spiegel）のような高級週刊誌です。このモジュールで扱うファクトチェックは、事前の事実検証よりもある主張が公になった後の検証に焦点を当てています。事後のファクトチェックは、政治家など公的な人物に発言の真実性の責任を持たせることを目的としています。この類のファクトチェッカーは、一次資料や信頼できる情報源を用い、一般市民を対象としている主張の確認または否定を行っています[4]。

　事後のファクトチェックは、主に政治広告や選挙キャンペーン演説、政党のマニフェストなどを対象としていますが、それらに限られているわけではありません。政治を対象とするこうした取り組みの初期の例は、2003年に設置されたペンシルバニア大学アネンバーグ公共政策センター（the Annenberg Public Policy Center）によるFactcheck.orgプロジェクトや2005年に設置されたChannel 4 Fact Checkです。

　この10年ほど、ファクトチェックの取り組みが重要性を増しており、世界中に広まっています。

　ジャーナリズム実践としてのファクトチェックの成長に特に貢献した2つの歴史的な出来事があります。ファクトチェックの第一波は、

2　Scriber, B. (2016). Who decides what's true in politics? A history of the rise of political fact-checking. Poynter. https://www.poynter.org/news/who-decides-whats-true-politics-history-rise-political-fact-checking［閲覧日 28/03/2018］

3　モジュール3を参照のこと。

4　Bloyd-Peshkin, S. & Sivek, S. (2017). Magazines find there's little time to fact-check online. *Columbia Journalism Review*. https://www.cjr.org/b-roll/magazine-fact-checking-online.php［閲覧日 28/03/2018］

フロリダ州のセントピーターズバーグ・タイムズ新聞（The St Petersburg Times、現タンパベイ・タイムズ 新聞Tampa Bay Times）によって前年に創設されたファクトチェック・プロジェクトPolitiFactのピューリッツァー賞受賞に端を発しました。PolitiFactは主張を「Truth-O-Meter」という尺度上で評定し、ファクトチェックに構造性と明確性を与えるというイノベーションを起こしました（PolitiFactに対して、評点付けによってファクトチェックが主観的になってしまうという批判もあります）。この構造的なアプローチは、ファクトチェックとは何かを聞き手に明確にさせ、公的な人物に自分の言葉に対して責任を持たせるというジャーナリズムの実践の役割を明確にし、世界中で数十の同様のプロジェクトを触発しました[5]。

ファクトチェック・プロジェクトの第二波は、いわゆる「フェイクニュース」の急増に続いて生まれました。 現在勝手に使用され、誤用されているこの言葉は、ソーシャルメディアのアルゴリズムのおかげで膨大な聞き手にリーチできるセンセーショナルな作り話を意味します。インターネットの情報インフラが偽情報や誤情報の蔓延をもたらしやすいことが明白になった2016年に、ファクトチェックに注目し始めた集団がさらに増えました。

第二波のファクトチェックは、公的人物の主張の検証と同じ程度に、ディバンキングというネットで急拡散している偽情報を暴くことに力を入れていることが多いです。ディバンキングはファクトチェックの一種であり、検証と共通のスキルが求められます（特にUGC〔訳者注：UGC（User Generated Content）一般ユーザーが投稿する文章・写真・動画など〕とも言われるユーザー生成コンテンツではそうです。次頁のベン図を参照）。このモジュール

---

5 Mantzarlis, A. (2017). In its first decade, PolitiFact helped define political fact-checking far beyond Washington, D.C. Poynter. https://www.poynter.org/news/its-first-decade-politifact-helped-define-political-fact-checking-far-beyond-washington-dc〔閲覧日 28/03/2018〕

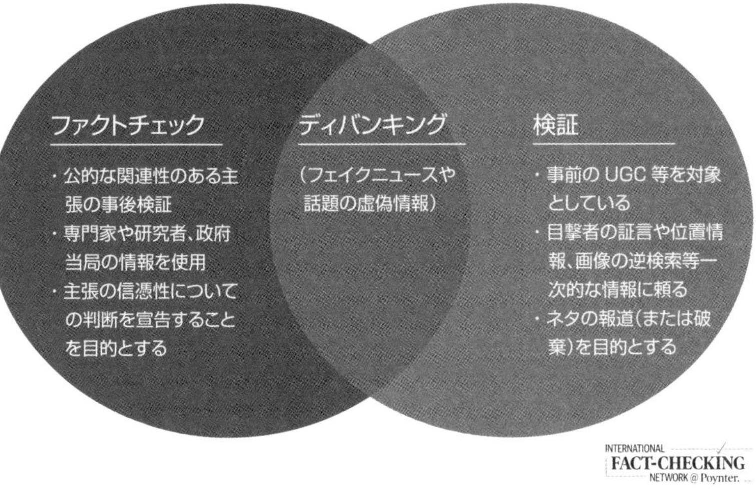

ファクトチェック

- 公的な関連性のある主張の事後検証
- 専門家や研究者、政府当局の情報を使用
- 主張の信憑性についての判断を宣告することを目的とする

ディバンキング

（フェイクニュースや話題の虚偽情報）

検証

- 事前の UGC 等を対象としている
- 目撃者の証言や位置情報、画像の逆検索等一次的な情報に頼る
- ネタの報道（または破棄）を目的とする

INTERNATIONAL
FACT-CHECKING
NETWORK @ Poynter.

図5　ファクトチェックと検証の違い

は、上図に定義されるファクトチェックを対象としていますが、次のモジュールはデジタルコンテンツや情報源の検証を扱います[6]。

世界のファクトチェック団体の例

　米デューク大学のDuke Reporters' Labによると、2017年12月に世界の5ヶ国で137のファクトチェック・プロジェクトが活動していました[7]。

　米国はファクトチェックの最大の市場ですが、この領域での最も思慮深く革新的な業績は世界の他の部分で生じています。講師はAfrica Check（南アフリカ、セネガル、ナイジェリア、ケニア）やChequeado（アルゼンチン）、Les Décodeurs（フランス）、Faktisk（ノルウェー）、Full Fact（英国）の活動を知っておくとよいでしょう。

6　モジュール6を参照のこと。

7　Stencel, M. (2017). Fact-checking booms as numbers grow by 20 percent. Duke Reporters Lab. https://reporterslab.org/big-year-fact-checking-not-new-u-s-fact-checkers/ ［閲覧日 28/03/2018］

特定の国や地域に着目したい講師には、下記のリソースが役に立つでしょう。

▷ **ブラジル**：Fact-checking booms in Brazil ポインターのウェブサイトで掲載されている Kate Steiker-Ginzberg による記事、https://www.poynter.org/news/fact-checking-booms-brazil からアクセス可能

▷ **欧州**："The Rise of Fact-Checking Sites in Europe" Lucas Graves と Federica Cherubini によるオクスフォード大学ロイタージャーナリズム研究所のための報告書、http://reutersinstitute.politics.ox.ac.uk/our-research/rise-fact-checking-sites-europe#overlay-context＝ からアクセス可能

▷ **日本**："A new fact-checking coalition is launching in Japan" ポインターのウェブサイトで掲載されている Masato Kajimoto による記事、https://www.poynter.org/news/new-fact-checking-coalition-launching-japan からアクセス可能

▷ **韓国**："What's behind South Korea's fact-checking boom? Tense politics and the decline of investigative journalism" ポインターのウェブサイトで掲載されている Boyoung Lim による記事、https://www.poynter.org/fact-checking/2017/whats-behind-south-koreas-fact-checking-boom-tense-politics-and-the-decline-of-investigative-journalism/ からアクセス可能

▷ **ラテンアメリカ**："Lack of access to information is driving Latin America's fact-checking boom" ポインターのウェブサイトで掲載されている Ivan Echt による記事、https://www.poynter.org/news/lack-access-information-driving-latin-americas-fact-checking-boom からアクセス可能

▷ **米国**："Deciding What's True: The Rise of Political FactChecking in American Journalism" Lucas Graves による本または、ポインターのウェブサイトで掲載されている Brad Scriber による同本の論評、https://www.poynter.org/news/who-decides-whats-true-politics-history-rise-political-fact-checking からアクセス可能

ファクトチェックの方法論と倫理

　ファクトチェックは、ロケット科学のような難しいものではありません。「どうしてこれが分かるの」という一つの単純な質問に基づく緻密な分析です。ファクトチェックは同時に、スペルチェックのようなものでもありません。すべての事実が載っている辞典風のガイドブックも、文書をチェックし、事実ではない主張をハイライトしてくれるソフトウェアも存在しないのです。

　ファクトチェックは一般的に、次の3段階からなっています。

1. **ファクトチェック可能な主張の発見**。議会の会議録やメディアの記事、ソーシャルメディアをもとにします。その過程は、重要な公的な主張の中で（a）ファクトチェック可能なもの及び（b）ファクトチェックすべきものについての判断を含みます。

2. **事実の発見**。対象は公的な主張の裏付けとなる入手可能な最も質の良い事実です。

3. **記録の訂正**。多くの場合、真実性の尺度を用い、主張をエビデンスに照らして行われます。

　信頼できるファクトチェック団体は、それぞれのファクトチェック手順を解説しています。講師は以下のいくつかを学生に体験させようと思うかもしれません。

1. Africa Check の「我々の働き方」（How We Work）のページ（英語、https://africacheck.org/about-us/how-we-work/ からアクセス可能）及び Materials 節のインフォグラフィック

2. Chequeado の「方法」（Metodo）（スペイン語、http://chequeado.com/metodo/ からアクセス可能）

3. Pagella Politica の「方法」（Metodologia）及び「我々の働き方」（Come

funzioniamo）（イタリア語、https://pagellapolitica.it/progetto/index からアクセス可能）

4. PolitiFactの「PolitiFactの原理」（英語、http://www.politifact.com/truth-o-meter/article/2013/nov/01/principles-politifact-punditfact-and-truth-o-meter/からアクセス可能）

　国際ファクトチェック・ネットワーク（The International Fact-Checking Network、IFCN）[8]もファクトチェッカーの日常的な作業を導くための規範を制定しています。

　ファクトチェック団体がIFCNの認証団体となるためには、その規範への同意を確認し、申請しなければなりません。認証手続きは、規範の効果的な導入の外部評価を含みます。まずは講師が同規範に精通し、それぞれの国のファクトチェック組織に関する評価の部分を確認したうえで[9]、その評価がもたらすファクトチェッカーへの信頼性への影響について、学生と議論することを推奨します。

　IFCNの規範は、読者がファクトチェックの質について判断できるようにするために制定されました。ファクトチェックに見せかけている偽情報の例を学生に提示したい場合、下記の2件の記事が役に立つでしょう。

▷ These fake fact-checkers are peddling lies about genocide and censorship in Turkey (Poynter). https://www.poynter.org/news/these-fake-fact-checkers-arepeddling-lies-about-genocide-and-censorship-turkey

▷ In the post-truth era Sweden's far-right fake fact checker was inevitable

---

8　著者のアレクシオス・マントザルリス（Alexios Mantzarlis）は国際ファクトチェック・ネットワーク（International Fact-Checking Network）のリーダーである。

9　https://www.poynter.org/international-fact-checking-network-fact-checkers-code-principles［閲覧日 28/03/2018］からアクセス可能。

(The Guardian). https://www.theguardian.com/media/2017/jan/19/in-the-post-truth-era-swedens-far-right-fake-fact-checker-was-inevitable

事実の妨げになる要素

　実践としてのファクトチェックに入る前に、学生はファクトチェック及び自分たちの限界を認識する必要があります。

　我々は「ポスト真実」または「ポスト事実」の時代に生きていると論じる評論家がいます。この2つの言葉は、2016年に全世界で記事の表題になり、それぞれオックスフォード英語辞典とドイツ語協会に同年の流行語として選ばれました。「ポスト真実」信者は、政治やメディアの激しい二極化・身びいき化のため市民が受け入れ難い事実をあからさまに拒絶するようになったと主張しています。

　この主張は、信頼している権威者への言及を含む訂正を目にすることが、市民の（平均的な）知識に貢献していることを示し続けている多くの研究の結果と一致しません。講師と学生による下記の研究についての議論がこの問題の理解を深めるでしょう。

▷ Swire, B., Berinsky, A. J., Lewandowsky, S. & Ecker, U. K. H. (2017). Processing political misinformation: comprehending the Trump phenomenon (1 March 2017). http://rsos.royalsocietypublishing.org/content/4/3/160802［閲覧日 28/03/2018］

▷ Nyhan, B. & Zeitzoff, T. (2018). Fighting the Past: Perceptions of Control, Historical Misperceptions, and Corrective Information in the Israeli Palestinian Conflict. http://onlinelibrary.wiley.com/doi/10.1111/pops.12449/abstract［閲覧日 28/03/2018］

▷ Wood, T. & Porter, E. (2016). The Elusive Backfire Effect: Mass Attitudes' Steadfast Factual Adherence (August 5, 2016). https://ssrn.com/abstract＝2819073［閲覧日 28/03/2018］

同時に、事実は現実世界を完璧に反映していると考えたり、人間が信条や個人的な好みと無関係に新しい事実を完全に受け入れる合理的な生き物であると考えるのも、無闇な単純化です。我々は皆、新しい事実的情報の受け入れを妨げ得る認知的その他のバイアス、いうなれば本質的にこころの中の障害物を持っています。この事象は決して他人事ではなく、我々にも起こり得ると強調することは極めて重要です。講師は、学生とバイアスに関する議論を行うべきです。

　確証バイアス（Confirmation bias）［出典：Encyclopaedia Britannica https://www.britannica.com/ topic/confirmation-bias 閲覧日 28/03/2018］。情報を処理する際に、自分の今もっている信念に一致するものを集める、または自分の今もっている信念に基づいて解釈する傾向のことです。こうした偏った意思決定を行っている人々は、それを大部分は意識していませんが、しばしば情報の矛盾を無視してしまいます。もともともっていた信念は、ある場面に関する期待や特定の結果の推測につながることもあります。人間は情報の重要性や自分への関連性が高まれば、特に自分の信念を支持するような情報処理をしがちなのです。

　動機づけられた推論（Motivated reasoning）［出典：Discover Magazine http://blogs.discovermagazine.com/ intersection/2011/05/05/what-is-motivated-reasoning-how-does-it-work-dan-kahananswers/#.WfHrl4ZrzBI 閲覧日 28/03/2018］。動機づけられた推論とは、人がある目的に適合する結論を導くように自分の情報処理を適合させるような無意識の傾向のことです。古典的な例から考えましょう。1950年代に、心理学者がアイビー・リーグの2つの大学の学生に、母校チームが参加するフットボールの試合の動画を見せました。録画には、議論の余地がある審判の判定が映されました。それぞれの大学の学生は、対戦相手よりも自分の学校に有利な判定が行われたとき、それを正しいと見なす傾向が見られました。研究者は、学生がもつ母校への忠誠心という感情によって、彼らが録画の中に何を見るかが変わってくる、と結論づけました。

利用可能性ヒューリスティック（Availability heuristic）［出典：Oxford University Press A Dictionary of Psychology http://www.oxfordreference.com/view/10.1093/acref/9780199534067.001.0001/acref9780199534067-e-830 閲覧日 28/03/2018]。 ある出来事の頻度や確率に関する判断が、すぐに想起されたその出来事の事例の数によって決まるというヒューリスティクス（簡便な意思決定の方法）のことです。それによって、間違った主張でも思い出しやすい場合、真実と判断されてしまうことがあります。ヴァンダービルト大学のリサ・ファジオ（Lisa Fazio）による実験では、「サリー（南アジアの女性の民族衣装）はキルト（スカートに似たスコットランドの男性用民族衣装）だ」と6回復唱するように指示された人は、1回しか復唱していない人に比べ、この明らかな嘘を真実であると信じる傾向がありました。このように虚偽の情報を無批判に報道することで、ジャーナリズム自身が虚偽を媒介してしまう恐れがあります。オバマ元米大統領の出生地に関する陰謀説をめぐるメディア報道は、同氏がハワイ生まれではないことが信じられるようになってしまうことに貢献した可能性があります。

　ファクトチェック自体は不完全な道具であることに留意しなければなりません。100パーセント正確な発言であっても重要な文脈の説明が欠けていることがあります[10]。事実は常に、より広い語りの構造の中で構築され、整理され、再整理されて意味を持つようになります。そしてそのことが同じ基本的な事実に異なった重要性を付与しうるのです。さらに真実は、単なる事実の堆積とは異なるものです。ファクトチェックは、オルタナティブな解釈を封じるのではなく、合理的な議論の基盤をつくるために、語りや個人の意見に影響を与える一連の事実を保障するツールでなければなりません。

10　例えば、Yanofsky, D.(2013). The chart Tim Cook doesn't want you to see. https://qz.com/122921/the-chart-tim-cook-doesnt-want-you-to-see/［閲覧日 28/03/2018］からアクセス可能。

モジュールの目的

▷ 世界中で現れつつあるファクトチェックのすぐれた実践の紹介

▷ 事実に基づいた理解を妨害しうる認識的バイアスについての意識を高めること

▷ 批判的分析スキルの改善

学習成果

1. ジャーナリズムの独特な形態としてのファクトチェックの現れ、及びその実践の倫理と方法論を理解できます。

2. 証拠（エビデンス）の質について評価する際に尋ねるべき質問を理解できます。

3. ファクトチェックの対象となりうる主張を意見や誇張などと区別する能力を改善します。

4. 事実に基づいた理解を妨げる認識的バイアスの基本的な概念化ができます。

モジュールの形式

このモジュールの理論部分は、下記のトピックを扱っています。

1. 歴史と意味論

2. 方法論と倫理

3. 事実の妨げとなる要素

演習部分は2つのアクティビティからなっています。

1. ファクトチェック可能な主張の発見

2. 事実の発見

記録の修正のしかたがモジュールの課題となります。

上記成果のための学習計画

A. 理論

モジュール計画	時間	学習成果
歴史と意味論	20分	1
方法論と倫理	20分	1
事実の妨げとなる要素	20分	4

B. 演習

モジュール計画	時間	学習成果
実践演習1 ファクトチェック可能な主張の発見	30分	3
実践演習2 事実の発見	1時間	2

i) ファクトチェック可能な主張の発見

　ファクトチェックは、客観的に検証できる事実や、数字を1つ以上含む主張を対象としています。一方、意見や推測、誇張表現、風刺やジョークは検証しません。

　活動1：学生が、4人の公的な人物による演説を読み、一つの色（緑）でファクトチェックできる主張をハイライトし、別の色（赤）でファクトチェックできない意見を示し、3つ目の色（オレンジ）で事実と意見の間に位置するものを示します。生徒の作業が終わった後に、講師が説明を加えながら生徒とともに演説の抜粋を読み、ファクトチェック可能な事実について議論します。

凡例

赤：ファクトチェック不可能な主張
オレンジ：事実と意見の中間にある発言
緑：ファクトチェック可能な主張

チリのミチェル・バチェレ前大統領

私たちはこの方向で著しい進歩を成し遂げましたが、プラスチックという海洋生態系に対するもう一つの脅威に対処しなければならないことを認識しています。8万トンのプラスチックは年々海に至り、そこで何百年も残り、甚大な被害をもたらしています。この問題に立ち向かうために、私たちは国連環境計画のクリーン・シー・キャンペーンに参加しました。同時に、地域レベルでは12ヶ月間以内のビニール袋の沿岸部都市での使用の禁止に関する法案を発表する予定です。この法律は、市民の海の保護への貢献を可能にします。チリは、アメリカ大陸でこうした法律を施行する初めての国となりますが、他の国にも同じような責任を果たすように呼びかけます。また、オゾン層の復旧を可能にしたオゾン層を破壊する物質に関するモントリオール議定書の採択から30年が経ちました。30周年という節目を機に、我が国が地球温暖化の0.5度を防ぐことを目的とするモントリオール議定書への2016年のキガリ改正の批准を寄託したことを皆様にお伝えしたいです。これによってチリは新しい条約の批准を行った最初の国の一つとなります。私たちの対策がこれで以上となると言うわけではありません。パタゴニアでの自然保護区のネットワークの創設を機に、我々は政府によって保護される公の利用が可能な生態系多様性の豊富なグリーンな領域の面積を450万ヘクタールに増やしました。

南アフリカのジェイコブ・ズマ前大統領

　世界経済の現在の構造は、グローバル・ノースとグローバル・サウスの間での格差を広げ続けています。グローバル化から恩恵を受けている少数派がいるにもかかわらず、世界の大半の人々は深刻な貧困や飢餓とともに生きており、生活環境改善への希望が持てません。先進国でも、貧困の差が相変わらず著しく、懸念を抱くべきレベルです。私たちは2030アジェンダの目標と願望を達成したい場合、改革されずにいる世界経済の構造による課題と障害に対処する世界のリーダーによる政治的意思と意欲を必要としています。こうした不平等で不公平な経済の勢力関係がアフリカで明白に現れています。例えば、私たちの大陸は天然資源が豊富ですが、後発開発途上国の数が最も多いです。

ドイツのジグマール・ガブリエル前外務大臣

　私たちは、国連がその使命を果たすために必要としている手段を提供しなければなりません。しかし現在は、数字からそれと異なる実態が伺えます。

　世界食糧計画は、世界の食糧危機と戦うために必要な資金の半分以下しか受けていません。世界開発計画へのひも付き補助金以外の自主的援助が15％に過ぎませんが、2011年にはその割合がまだ50％でした。国連の他の援助のための機関の方がましな状態にあるというわけではありません。

　国連で重要な任務を任された職員が効率的な援助を計画する時間よりも、資金提供を物乞いする時間の方が長いことを許してはなりません。私たちはここで方向転換をするべきです。国連に適切な資金を提供し、より多くの自由を与えなければなりません。それと引き換えに、資金利用の効率性と透明性の向上を求めるべきです。

　少なくともドイツは、国連への財政支援を続けるつもりです。

　国連分担率が4番目に大きいだけではなく、世界最大の人道支援提供国の一つであるドイツは、大きく貢献し続ける意思があります。

Facebookのマーク・ザッカーバーグCEO

Facebookは、理想主義的で楽観主義的な会社です。私たちは、活動の大半において人と人をつなぐことから生まれる善に集中してきました。Facebookの成長とともに、世界中の人々が愛する人々とつながれる、自分の声を届けてくれる、コミュニティやビジネスの形成に貢献できる新しく強力なツールを手に入れました。つい最近、#metoo運動やMarch for Our Lives運動の少なくとも一部がFacebookを使って繰り広げられたことを目の当たりにしました。ハリケーン・ハービーの後、人々は復興のために2000万ドル以上を集めることができました。そして7000万以上のスモールビジネスが成長や雇用の創出のためにFacebookを使っています。

ii) 事実の発見

活動2：講師が生徒を2つのグループに分けます。それぞれのグループに緑色でハイライトされた発言を一つ（または講師自身が用意したもの）選択させます。

生徒が見つけた事実の裏付けとなる、またはそれに反する証拠（エビデンス）を探すように指示します。その前に、情報源の評価基準として下記のパラメーターを提示することを薦めます。

接近性：証拠が現象からどれほど離れているのか。例えば、失業率に関するメディア報道は、実際の雇用統計を測っている政府の統計局の情報より離れているため、価値もより低いです。

専門性：証拠を提供している人の肩書きは何か。例えば、書籍の場合、著者がその分野で博士号を持っており、引用数が多いかどうかです。

厳格さ：証拠の収集はどのような過程で行われたのか。例えば、女性に対する暴力に関する情報は、調査を通して収集されることが多いで

す[11]。すると、女性の調査に参加する意思や、セクシャルハラスメントの概念が国ごとに異なることがあるため、データの一般化が無効になってしまい、国際比較が難しくなります。女性に対する暴力は重要な課題であることに変わりありませんが、特定の主張を裏付ける情報を収集する際に厳格な姿勢を持つべきです。

透明性：証拠について分かることは何か。例えば、学術的研究が他の研究者による検証のために結論の基となったすべてのデータをインターネットで公開しているかどうかです。

信頼性：情報提供者に検証できる業績はあるのか。例えば、トランスペアレンシー・インターナショナルは20年以上にわたり腐敗認識指数を発表しています。つまり、専門家に限界を指摘するための時間が十分ありました[12]。

利益相反：証拠が情報源の私的または個人としての利益にもつながるのか。例えば、パスタが健康に良いという主張を検証する学術研究が大手パスタ製造企業によって資金を受けている場合です[13]。

下記の表を印刷し、検証の前に生徒に配布することをお勧めします。

	弱	中	強
接近性			
専門性			
厳格さ			
透明性			
信頼性			
利益相反			

11 国連のジェンダー統計の指数48を参照のこと。https://genderstats.un.org/#/downloads

12 Hough, D. (2016) Here's this year's (flawed) Corruption Perception Index. Those flaws are useful. *The Washington Post*. https://www.washingtonpost.com/news/monkey-cage/wp/2016/01/27/how-do-you-measure-corruption-transparency-international-does-its-best-and-thats-useful/?utm_term=.7ff90ea2890f［閲覧日 23/03/2018］

13 これは実際の事例である。詳細は以下のリンクから確認できる。http://www.healthnewsreview.org/2016/07/study-really-find-pasta-opposite-fattening/［閲覧日 23/03/2018］

課題案

記録の正し方

　参加者は演習で検証された証拠を基にファクトチェック報告書（英文
1200ワード［日本語2400字程度］）を執筆し、グループで選んだ発言の相
対的真実性について結論を出します。

　ファクトチェックの対象となった主張を評価するには、独自の尺度を
設けます。例えば、PolitiFactは次のような尺度を示しています。

　真実：この発言は正確であり、大きな情報の欠陥がありません。

　ほぼ真実：この発言は正確ですが、明確化や追加情報の提示が必要で
す。

　半分真実：この発言の一部は正確ですが、重要な情報が抜けているま
たは文脈を無視して解釈されています。

　ほぼ虚偽：この発言には一部の真実が含まれていますが、聞き手に異
なる印象を与える重要な事実を無視しています。

　虚偽：この発言は不正確です。

　あからさまな嘘：この発言は、不正確である上に馬鹿げた主張をして
います。

　評価のための尺度は、PolitiFactと同じような真実からあからさまな嘘
の順という1次元のものに限るべきだというわけではありません。例え
ば、メキシコのエル・サブエソ（El Sabueso）[14]は裏付けができない主張に
ついて「検証不可能」という評価を導入し、検証方法によって結果が違
うものに対しては「議論の余地がある」という評価を使っています。講

14　Animal Politico (2015). http://www.animalpolitico.com/blogueros-blog-invitado/2015/01/28/
　　el-sabueso-un-proyecto-para-vigilar-eldiscurso-publico/［閲覧日 6/04/2018］

師は、生徒に発言や主張の真実性の尺度を設定する際に創造性を発揮することを促すべきです。時間などのリソースに余裕があれば、文章以外でのファクトチェックを行うという課題も出すことができます。ネットミーム、ショート動画、GIF、スナップチャットなどはすべて、嘘と戦うためのよい素材となり得ます。実際、記事としてではなくユーモアのある動画として提示した方がファクトチェックとして有効であるという研究さえあります[15]。

創造性に富んだフォーマットの例は、ポインターに掲載されている下記の記事で紹介されています。

Mantzarlis, A. (2016). *Fact-checkers experiment with Snapchat, GIFs and other stuff millennials*❤. https://www.poynter.org/news/fact-checkers-experimentsnapchat-gifs-and-other-stuff-millennials［閲覧日 28/03/2018］

Mantzarlis, A. (2016). *How (and why) to turn a fact check into a GIF*. https://www.poynter.org/news/how-and-why-turn-fact-checkgif［閲覧日 28/03/2018］

参考文献

下記の文献の他に、https://www.poynter.org/channels/fact-checking からアクセスできる、週に数回更新されるポインターのファクトチェック専用のページの参照もお勧めします。このページでは、モジュールの執筆時点に近い、読者の役に立つポインターの記事をいくつか紹介しています。

Poynter (2018). How to fact-check a politician's claim in 10 steps. https://factcheckingday.com/articles/5/how-to-fact-check-a-politicians-claim-in-10-steps［閲覧日 06/04/2018］

Van Ess, H. (2017). The ultimate guide to bust fake tweeters: A video toolkit in

---

15　Young, D., Jamieson, K., Poulsen, S. and Goldring, A. (2017). Fact-Checking Effectiveness as a Function of Format and Tone: Evaluating FactCheck.org and FlackCheck.org., *Journalism & Mass Communication Quarterly*, 95(1), pp.49-75.

10 steps. https://www.poynter.org/news/ultimate-guide-bust-fake-tweeters-videotoolkit-10-steps［閲覧日 06/04/2018］

Mantzarlis, A. (2015). 5 things to keep in mind when fact-checking claim about science. https://www.poynter.org/news/5-things-keep-mind-when-fact-checkingclaims-about-science［閲覧日 06/04/2018］

Mantzarlis, A. (2016). 5 tips for fact-checking claims about health. https://www.poynter.org/news/5-tips-fact-checking-claims-about-health［閲覧日 06/04/2018］

Mantzarlis, A. (2015). 5 tips for fact-checking datasets. https://www.poynter.org/news/5-tips-fact-checking-datasets［閲覧日 06/04/2018］

Mantzarlis, A. (2015). 5 studies about fact-checking you may have missed last month (Poynter). https://www.poynter.org/news/5-studies-about-fact-checkingyou-may-have-missed-last-month［閲覧日 06/04/2018］

Mantzarlis, A. (2017). Repetition boosts lies—but it could help fact-checkers too. https://www.poynter.org/news/repetition-boosts-lies-could-help-factcheckers-too［閲覧日 06/04/2018］

Mantzarlis, A. (2017). French and American voters seem to respond to fact-checking in a similar way. https://www.poynter.org/news/french-and-american-votersseem-respond-similar-way-fact-checking［閲覧日 06/04/2018］

Funke, D. (2017). Where there's a rumour, there's an audience. This study sheds light on why some take off. https://www.poynter.org/news/where-theres-rumortheres-audience-study-sheds-light-why-some-take［閲覧日 06/04/2018］

Funke, D. (2017). Want to be a better online sleuth? Learn to read webpages like a factchecker. https://www.poynter.org/news/want-be-better-online-sleuthlearn-read-webpages-fact-checker［閲覧日 06/04/2018］

Funke, D. (2017). These two studies found that correcting misperceptions works. But it's not magic. https://www.poynter.org/news/these-two-studies-foundcorrecting-misperceptions-works-its-not-magic［閲覧日 06/04/2018］

Mantzarlis, A. (2017). What does the "Death of Expertise" mean for fact-checkers? https://www.poynter.org/news/what-does-death-expertise-mean-factcheckers［閲覧日 06/04/2018］

Mantzarlis, A. (2017). Journalism can't afford for corrections to be the next victim of the fake news frenzy. https://www.poynter.org/news/journalism-cant-affordcorrections-be-next-victim-fake-news-frenzy［閲覧日 06/04/2018］

Mantzarlis, A. (2016). Should journalists outsource fact-checking to academics? https://www.poynter.org/news/should-journalists-outsource-fact-checkingacademics［閲覧日 06/04/2018］

書籍

Ball, J. (2017). *Post-Truth: How Bullshit Conquered the World.* London: Biteback Publishing.

Gladstone, B. (2017). *The Trouble with Reality: a Rumination on Moral Panic in Our Time.* New York: Workman Pu.

Graves, L. (2016). *Deciding What's True: the Rise of Political Fact-Checking Movement in American Journalism.* New York: Columbia University Press.

オンライン・リソース

　国際ファクトチェック・デーの主催者によるロールプレイ授業（14〜16歳の生徒が対象）の計画は下記のリンクからアクセスできます。http://factcheckingday.com/lesson-plan。同ウェブサイトには、ファクトチェック教育のヒントとコツ、大学生を対象としたオンライン授業、事実とファクトチェック関連の文献リストへのリンクが掲載されています。

ソーシャルメディアの検証：
情報源と映像コンテンツの評価

トム・トレヴィナード／ファーガス・ベル

MODULE 6

このモジュールは、参加者がオンライン上のデジタル情報の情報源を特定し、検証できるようにすることを目的としています。特にソーシャルネットワークで、ユーザーにより作成され共有されたコンテンツ（UGC）の情報源、写真、動画の真偽を判断するための様々なストラテジー（戦略）〔訳者注：行為者がある制限された状況のなかで自己の目的や関心を最大限に実現していくための戦略を意味する〕を紹介します。

　このモジュールを完了すると、参加者は、Facebook、Twitter、Instagram、YouTubeなどのプラットフォームでニュース速報が流れたときに、共有されるコンテンツには、様々なタイプの虚偽や誤解を招くものがあると自覚できるようになっているはずです[1]。このようなコンテンツは、他の信頼できる報道機関によって定期的に取り上げられ、報道されることで、その信用を落とすことにつながってしまいます。また、ジャーナリストがソーシャルネットワーク上で不用意に再配信したり、増幅したりすることもあります。そうしてしまうと、そのジャーナリストは公共の議論（public debate）に影響を与え[2]たり、信用できる情報源としての信頼性を利用する目的で、悪意ある者の標的になったりしてしまうのです[3]。

　参加者は、以下に挙げるようなテーマの実際のシナリオや事例で自分の直感を試した後、基本的なコンテンツを検証するための調査の技法や戦略を実践的に学びます。

　▷ユーザー生成コンテンツをジャーナリスティックに使うための倫理原則

1　Alejandro, J. (2010). Journalism In The Age Of Social Media. Reuters Institute Fellowship. http://reutersinstitute.politics.ox.ac.uk/sites/default/files/research/files/Journalism%2520in%2520the%2520Age%2520of%2520Social%2520Media.pdf〔閲覧日 22/04/2018〕

2　Paulussen, S. & Harder, R. (2014). Social Media References in Newspapers, *Journalism Practice*, 8(5), pp. 542-551.

3　モジュール7には、この問題についての詳細な議論と処置がある。

に沿ってオリジナルの情報源を特定しクレジットを表示すること[4]

▷偽のアカウントやボット（プログラムされた自動投稿）を特定し、排除すること[5,6]

▷映像コンテンツが情報源の意図に従って使用されているかを確認すること

▷コンテンツが作成された時刻とアップロードされた時刻を検証すること

▷写真と動画の作成された場所を検証すること

オリジナルのコンテンツを識別・検証できるようになれば、ジャーナリストは倫理的・法的要件に沿ってユーザー生成コンテンツ（UGC）の公開許可を求めることができるようになります。

概　要

作家のビル・コヴァッチ（Bill Kovach）とトム・ローゼンスティール（Tom Rosenstiel）[7]は『ジャーナリズムの要素（The elements of journalism）』の中で、こう断言しています。「結局のところ、検証するという規律こそが、娯楽、プロパガンダ、フィクション、芸術とジャーナリズムとの違いなのである…ジャーナリズムだけは、まず、何が起こったかを明らか

4　オンラインニュース協会の UGC 倫理ガイドを参照のこと。https://ethics.journalists. org/topics/user-generated-content/［閲覧日 18/4/2018］

5　Woolley, S.C. & Howard, P.N. (2017). Computational Propaganda Worldwide: Executive Summary. Samuel Woolley and Philip N. Howard, Eds. *Working Paper 2017.11*. Oxford, UK: Project on Computational Propaganda. Comprop.oii.ox.ac.uk. http://comprop.oii. ox.ac.uk/wp-content/uploads/sites/89/2017/06/Casestudies-ExecutiveSummary.pdf［閲覧日 22/04/2018］

6　Joseph, R. (2018). Guide. How to verify a Twitter account. Africa Check. https:// africacheck.org/factsheets/guide-verify-twitter-account/［閲覧日 2018/6/04］

7　Kovach, B., & Rosenstiel, T. (2014). *The elements of journalism: What newspeople should know and the public should expect*. New York: Crown Publishers.（加藤岳文・斎藤邦泰翻訳『ジャーナリズムの原則』日本経済評論社、2011）

にすることに重点を置いています」。このモジュールでは、この精神に基づき、現代における「検証の規律」について調査しています。

ソーシャルメディアはジャーナリズムのあり方を変えました。リアルタイムでの視聴者の参加は、コンテンツのクラウドソーシングを生んだのです。つまり、コンテンツに不特定多数の人が関与するようになり、従来はジャーナリズムの中で行っていた検証などの業務さえも視聴者にアウトソーシングできるようになっています[8]。ジャーナリズムの本質は検証という規律[9]であることに変わりはありません。しかし、急速に変化するデジタル技術、オンライン行動、ニュース収集の手法の影響を反映させて、コンテンツと情報源を検証する方法については、常に更新される必要があります。例えば、「アラブの春」では、「オープンな検証」、つまり、「公開された、共同で行われる、リアルタイムの検証プロセス」というコンセプトが表面化し始めました。しかし、このプロセスでよいのかは、公開の場で段階的に情報を検証しようとする過程で誤情報の拡散に関連するリスク（まだ検証段階の情報をクラウドソーシングで記者がシェアするなど）があるため、依然として論争の的となっています[10]。

今日、ジャーナリストや報道関係者にとって、目撃証言や映像コンテンツは、インパクトのあるストーリーを伝えるために最も重要で説得力のあるツールの一つとなっています。ニュース速報を出すという状況で、ソーシャルメディアからの情報を検証するスピードが重要な要素になります[11]。

8　Carvin, A. (2012). *Distant witness: Social Media's Journalism Revolution.* New York, NY: CUNY Journalism Press.

9　Kovach, B. & Rosenstiel, T. (2014) 前掲。

10　Posetti, J. & Silverman, S. (2014). When Good People Share Bad Things: The basics of social media verification at Mediashift at Mediashift July 24th, 2014. http://mediashift. org/2014/07/goodwhen-good-people-share-bad-things-the-basics-of-social-media-verification/［閲覧日 22/04/2018］

11　Brandtzaeg, P., Lüders, M., Spangenberg, J., Rath-Wiggins, L. & Følstad, A. (2015).

ジャーナリストは、膨大な量の情報の中から、重要な情報源、情報、画像にたどり着くための道案内をできるようになる必要があります。ソーシャル・プラットフォームにアップロードされる映像コンテンツ（写真、動画、GIF）の量が急速に増加しているのは、主に次の3つの要因によるものです。

▷世界中でカメラ付きスマートフォンやフィーチャーフォンが普及したこと[12]

▷安価な（場所によっては無料の）モバイルデータへのアクセスが増加したこと

▷誰でもコンテンツを公開し、視聴者を集めるグローバルなソーシャルネットワーキングのプラットフォームが台頭したこと

抗議デモ、列車事故、ハリケーン、テロなど、ニュース速報が出る状況では、最初の証言、写真、ビデオ映像は、スマートフォンを持った目撃者、参加者、傍観者によって公開されることが多くなっています。このようなコンテンツを検証する手法は、報道局のリソース、規範や基準、そしてジャーナリスト自身がどんな訓練を積んでいるかによって様々です。このモジュールでは、ベストプラクティスの手法やオンラインのツール及びリソースを学生に紹介しますが、テクノロジーと同様に、ツールも急速に進化しています[13]。どのような検証であれ、コ

Emerging Journalistic Verification Practices Concerning Social Media, *Journalism Practice*, 10(3), pp.323-342.

12 Mary Meeker's Internet Trends Report. https://www.slideshare.net/kleinerperkins/internet-trends-v1のスライド5を参照のこと。［閲覧日 22/04/2018］

13 Schifferes, S., Newman, N., Thurman, N., Corney, D., Göker, A. & Martin, C. (2014). Identifying and Verifying News through Social Media. *Digital Journalism,* 2(3), pp. 406-418.

ヴァッチとローゼンスティール（Kovach and Rosenstiel）（2014）[14]が示した一般的なガイドラインが適用されます。すなわち、

▷懐疑的な見方で編集する
▷精度についてのチェックリストをつける
▷先入観を持たない——真実味をおびている手がかりであるからといって、ミスリードされてはならない[15]
▷匿名の情報源には注意する

　情報や画像の発信者を特定し、発信者と共有されたコンテンツの両方をチェックする仕組みを構築することで、ジャーナリスト自身も情報源であると確証を持ち、チェックの後に、必要な結果が得られるはずです[16]。
　このチェックは、ジャーナリストがニュース現場で目撃者にインタビューする際に行う作業を再現したものです。直接取材ができるジャーナリストは、目撃者の証言を精査し、重要な部分を追跡調査し、ファクトチェックに基づいてその信頼性について結論を出します。直感も、行動観察から得られる手がかりと併せて部分的な指針になることもあります。デジタルで情報源を確認するプロセスでは、実際にその人と直接、あるいはリアルタイムで話すことができなくても、結論を導き出せるようにしなければなりません[17]。
　多くの大規模な報道局は、このようなコンテンツをできるだけ早く見つけ、さらに出版権や放送権を取得し、発行前にコンテンツを検証する

14　Kovach & Rosenstiel (2014) 前掲。
15　Zimmer, B (2010). "Truthiness". *The New York Times.* https://www.nytimes.com/2010/10/2017/magazine/2017FOB-onlanguage-t.html ［閲覧日 2018/04/15］
16　Bell, F. (2015). Verification: Source vs Content. Medium. https://medium.com/1st-draft/verficiation-source-vs-content-b67d6eed3ad0 ［閲覧日 22/04/2018］
17　Kovach & Rosenstiel (2014) 前掲。

ためのチームと高価なテクノロジー、またはサービスを提供する代理店を持っています[18]。ほとんどの小規模な報道局や個人ジャーナリストは、同じようなリソースを持たず[19]、信頼性を判断するための独自に進化させた体系的な方法論を使っています[20]。

　なぜ、ソースやビジュアルコンテンツの検証がそれほどまでに重要なのでしょうか？　簡単に言えば、それが良いジャーナリズムだからです。今日のデジタル世界では、悪意のある者が、説得力があり見破るのが困難なフェイクを作成し共有できることは明白です。プロのジャーナリストや報道局が、誤解を招くような情報、写真、動画を共有したり転載したりすることで評価を落とす例はたくさんあります。さらには、風刺的なコンテンツを誤って解釈し、事実として共有・公開することもあります[21]。

　この問題は、オンライン上で利用可能な大量のビジュアルコンテンツによってさらに深刻化しています。政治家やプロのジャーナリストを騙るデマが世界中で日々起こっているのを私たちが目にしているように、そのようなコンテンツは文脈から切り取られて、再びニュースに使われるのです。

18　Diakopoulos N., De Choudhury M. & Naaman M. (2012). Finding and assessing social media information sources in the context of journalism, *Conference on Human Factors in Computing Systems-Proceedings*, pp. 2451-2460. http://www.nickdiakopoulos.com/wp-content/uploads/2011/07/SRSR-diakopoulos.pdf［閲覧日 22/04/2018］

19　Schiffers, S., Newman, N., Thurman, N., Corney, D., Goker, A.S. & Martin, C. (2014). Identifying and verifying news through social media:Developing a user-centred tool for professional journalists, *Digital Journalism*, 2(3), pp.406-418. http://openaccess.city.ac.uk/3071/1/IDENTIFYING AND VERIFYING NEWS THROUGH SOCIAL MEDIA.pdf［閲覧日 22/04/2018］

20　Brandtzaeg, P. B., Lüders, M., Spangenberg, J., Rath-Wiggins, L., & Følstad, A. (2016). Emerging journalistic verification practices concerning social media, *Journalism Practice*, 10(3), 323-342.

21　Deutsche Welle (2018). Germany's Bild falls for hoax and unleashes fake news debate (22/02/2018). http://www.dw.com/en/germanys-bild-falls-for-hoax-unleashes-debate-on-fake-news/a-42704014［閲覧日 22/04/2018］

しかし、ストーリーを語ったりコンテンツを共有されたりした情報源の信頼性を評価するためには、取るべき多くのステップがあります。価値のある質問をする必要があり、そのうちあるものは直接、またあるものは調査によって得られる証拠を使って回答しなければなりません。情報提供者がどこから投稿したかを確認するために検証ツールを使うことができます。すなわち情報提供者のソーシャルメディアの履歴を分析し、特定の時間、特定の場所にいた可能性を示す手がかりをチェックするという別方向からの確認により、いうなれば三角測量のように、手作業で投稿した場所を確認することも可能なのです。また、他のユーザーとの交流履歴を調べたり、投稿内のリンク先を確認したりすることも、手作業による確認作業を助け、ボットによって共有された情報を排除するのに有効です。

　懐疑的な編集は不可欠ですが、ニュースで報じられていることに影響を受けて体験談を語る人の大半は、騙そうと思っているわけではなく、ただ自分の体験を話しているだけなのです。誤情報が生じたとしても、それは悪意があるものではないかもしれません。むしろ、その人が出来事を正しく覚えていなかったり、話を誇張したりしただけの可能性もあります。これは、実際に会ってインタビューする機会があった場合にも起こり得ることです。犯罪や事故の現場からの報告書や供述書では、トラウマを抱えた目撃者や被害者の証言がかなり異なり、矛盾をきたすことがあります。

　映像コンテンツの出所を完全に把握することはできないかもしれませんが、簡単な確認作業を行うことで発見できる警告信号は数多くあります。すなわち、

　　▷コンテンツはオリジナルか、それとも過去の報道からスクレイピングされ（検索して抜き出され）、誤解を招くような形で再利用されていませんか？

▷コンテンツが何らかの方法でデジタル処理されていませんか？[22]

▷利用可能なメタデータを用いて、写真／動画の撮影時間と場所を確認できますか？

▷コンテンツ内の視覚的な手がかりから、写真／動画の撮影時間と場所を確認できますか？

　警告信号を効率的に見つけるためには、次のようなよく見られる様々なタイプの虚偽または誤解を招くよく見られる映像コンテンツを理解することも必要です。

▷**間違った時間／場所**：誤解を招く映像コンテンツの最も一般的なタイプは、古い映像コンテンツが、何か別なものを表しているという新しい主張を伴って再共有されるものです。このような場合の口コミによる伝達は、たまたま共有されただけであることが多く、それが誤りだと示すことは簡単ですが、訂正するのは容易ではありません[23]。

▷**操作されたコンテンツ**：写真編集ソフトや動画編集ソフトを使用してデジタル操作されたコンテンツ

▷**演出されたコンテンツ**：誤解を招くことを意図して作成または共有されたオリジナルコンテンツ[24]

22　米国フロリダ州パークランドの学校での銃乱射事件の学生生存者は、銃規制のための全国的な抗議行動を組織して成功したが、党派的なソーシャルメディアチャンネルで拡散された、操作された画像が特徴だった。https://www.buzzfeed.com/janelytvynenko/here-are-the-hoaxes-and-conspiracies-still-going-around?utm_term=.euy6NPayy#.jhe2YvV44［閲覧日 22/04/2018］

23　インドのベンガルール国際空港で発生した洪水の証拠とされるこの映像は、実はメキシコのある空港で発生した洪水の映像の焼き直しだった。https://www.thequint.com/news/webqoof/fake-video-claiming-bengaluru-airport-was-flooded-is-from-mexico［閲覧日 22/04/2018］

24　人工知能と高度な映像編集ツールにより、バラク・オバマの映像が示すように、フェイクビデオを見分けることは困難である。https://www.youtube.com/

このモジュールでは、情報源とコンテンツの検証方法を学び、実践するための基本的なツールやテクニック（講師メモを含むスライド、追加の読み物が含まれます）を紹介します。例えば、[25]

Facebookのアカウント分析：Intel Techniques[26]のオンラインツールを使用すると、Facebookアカウントを分析することによって、情報源についてより詳しく知ることができます。

Twitterのアカウント分析：Africa Checkのこのガイドを使用すると、ソーシャル履歴を分析することによってソースについての詳細を知ることができ、それによってボットによるツイートかどうかを識別することができます[27]。

逆画像検索：Google逆画像検索[28]、RevEye[29]、TinEye[30]のいずれかを使用して、画像が新しい主張や事象を裏付けるために再利用されているかどうかを確認することができます。逆画像検索では、1つまたは複数の画像データベース（数十億の画像を含む）に、その画像の以前のバージョンが含まれているかどうかを確認することができます。主張された事象の前に存在する画像が、逆画像検索によって見つかった場合、これは大きな警告信号であり、その画像は以前の事象から再利用された可能性があります。逆画像検索で結果がヒットしなかった場合であっても、その画像がオリジナルであることを意味するものではなく、さらに追加でチェックをする必要があります。

---

　　watch?v=AmUC4m6w1wo［閲覧日 03/04/2018］

25　ニュースツールは進化し続けており、講師は学習者とともにこれらの技術やテクニックを発見し、試すことができることに留意のこと。

26　https://inteltechniques.com/osint/facebook.html.［閲覧日 03/04/2018］

27　https://inteltechniques.com/osint/facebook.html.［閲覧日 03/04/2018］

28　How to do a Google Reverse Image Search. https://support.google.com/websearch/answer/1325808?hl=en［閲覧日 22/04/2018］

29　https://www.tineye.com/［閲覧日 22/04/2018］

30　http://squobble.blogspot.co.jp/2009/12/chromeeye-tineye-extension-for-google.html［閲覧日 22/04/2018］

　YouTubeデータビューア：「動画の逆引き検索」は一般公開されていません が、アムネスティのYouTube Data Viewer[31]、InVID[32]、NewsCheck[33]など のツールは、YouTube動画のサムネイルを検出し、そのサムネイルを逆 画像検索することで、以前のバージョンの動画がアップロードされてい るかどうかを探知することができます（また、アップロードされた正確な 時刻も表示されます）。

　EXIF Viewer：EXIFは、デジタルカメラや携帯電話のカメラが撮影時 に作成する様々なデータポイントを含む、映像コンテンツに付加され るメタデータです。これには、正確な日時、位置情報メタデータ、デ バイスデータ、照明設定の情報などが含まれます。このようにEXIFメ タデータは、検証プロセスにおいて非常に有用なものですが、ソーシャ ルネットワークは、ビジュアルコンテンツからメタデータを削除すると いう大きな制約があります。つまり、TwitterやFacebookで共有された 画像は、EXIFデータを表示しません。しかし、アップロードした人に 連絡を取り、オリジナルの画像ファイルを入手することができれば、 EXIFデータで内容を確認することができます。ただし、EXIFデータは 改変される可能性があるため、さらなる検証が必要です。

　読者は、基本的な入門からより高度なテクニックまで、さらに詳しい 資料やケーススタディも提供されます。これらのテクニックは以下の通 りです。

　▷**ジオロケーション**：ジオロケーションとは、動画や画像が撮影された

31　How to use Amnesty's YouTube Data Viewer. https://firstdraftnews.org/curriculum_ resource/youtube-data-viewer/［閲覧日 22/04/2018］

32　InVid ビデオ検証ツールは、下記で入手可能。http://www.invid-project.eu/tools-and-services/invid-verification-plugin/［閲覧日 22/04/2018］

33　NewsCheckについて以下から閲覧できる。https://firstdraftnews.org/launching-new-chrome-extension-newscheck/［閲覧日 22/04/2018］

場所を特定するプロセスのことです。適切なメタデータがあれば、こ
れは簡単なことです。携帯電話の EXIF データには座標が含まれてい
ることが多く、ソーシャルコンテンツ（Instagram、Facebook、Twitter
など）にはジオタグが付けられていることがあります（ただし、このよ
うなメタデータは編集可能であり、誤解させることも可能であることに注意
することが重要）。多くの場合、ジオロケーションは、コンテンツに含
まれる視覚的特徴やランドマークを、衛星画像、ストリートビュー、
他のソースから入手できるビジュアルコンテンツ（例えば、Twitter、
Instagram、Facebook、YouTube に投稿された他のビジュアルコンテンツ）
と相互参照することが必要とされます。

▷ **気象状況の裏付け**：WolframAlpha[34]のような過去の気象データを明らか
にすることができるため、映像コンテンツで観測される気象が過去の
記録によって裏付けられるかどうかを確認することが可能です（例：
気象情報で雨が観測されなかった日に、ビデオ内で雨が降っている様子を映
していますか？）。

▷ **影の分析**：写真やビデオの調査の1つとして、目に見える影の整合性を
調べることがあります（影があると予想される場所に影がありますか、目に
見える影は関連する光源と一致していますか）。

▷ **画像のフォレンジック（画像の科学捜査）**：一部のツールは、画像のメタ
データから、加工を示唆する矛盾を検出できます。これらの技術の有効
性は、文脈や用途に大きく依存しますが、Forensically[35]、Photo Forensics[36]
とIziTru3[37]などのツールは、クローン検出とエラーレベル分析（ELA：Error

34　WolframAlphaのツールは下記で入手可能。https://www.wolframalpha.com/examples/
science-and-technology/weather-and-meteorology/［閲覧日 22/04/2018］

35　Wagner, J. (2015). Forensically, Photo Forensics for the Web. [Blog] 29a.ch. https://29a.
ch/2015/08/16/forensically-photo-forensics-for-the-web［閲覧日 22/04/2018］

36　Fotoforensicsのツールは下記で入手可能。http://fotoforensics.com/［閲覧日 22/04/2018］

37　Izitruのツールは下記で入手可能。https://www.izitru.com/［閲覧日 22/04/2018］

Level Analysis）を実行し、有用な知見を提供できる可能性があります。

モジュールの目的

▷現代ジャーナリズムにおいて、ソーシャルネットワークを通じて共有される
　ユーザー生成コンテンツ（UGC）の果たす役割が高まっていること
　を認識し、それに依存することに伴うリスクや落とし穴も増加している
　ことを認識することができること。

▷ストーリーにおける一次資料からのアクセスや情報を確保することの重
　要性とそのためのプロセスについて幅広く理解すること。

▷「UGC コンテンツ」を検証する必要性、様々なタイプのフェイクや誤解
　を招くコンテンツを排除する必要性について理解を深めること。

▷画像や映像を検証するための基本的な手法について認識を深め、虚偽の
　映像コンテンツを看破すること。

学習成果

1. 現代ジャーナリズムにおけるUGCの役割への深い理解ができます。

2. デジタルコンテンツの検証の必要性を理解できます。

3. オリジナルソースを検証するためのツールの使い方についての認識と
　 技術的な理解ができます。

4. 写真・動画コンテンツに対して基本的な検証手順を実施できます。

5. 検証プロセスで使用できる、より高度な技術やメタデータを認識でき
　 ます。

6. UGCやその他のオンラインコンテンツの使用許可を得る必要性を認識
　 し、その方法に関する知識を身につけます。

モジュールの形式

このモジュールは、60分の理論講義と120分の3部構成の実践（演示と演習）で構成されています。しかし、このテーマの実用的な性質上、演示を補完するための実践的な演習を伴う、より長い形式の対話型ワークショップに適しています。

理論：上記のメモを使って、デジタル時代のジャーナリズムの手法に不可欠だが変容している部分としての検証を扱う講義を設計します。

演習：120分の実践編は、対話型の実演やワークショップに適しています。3つの明確なパートに分かれています。

講師の方は、上記のメモを参考にしながら、以下のリンクからダウンロードできるスライドを使って講義などを行ってください。なお、スライドには講師用のメモが添付されています。

i. **ソースの識別と検証**。ソースの社会的な履歴の確認：https://en.unesco.org/sites/default/files/unesco_fake_news_curriculum_verification_digital_sources_one.pdf

ii. **基本的な画像の検証**。よくある偽画像の種類と基本的な検証手順：https://en.unesco.org/sites/default/files/unesco_fake_news_curriculum_verification_digital_sources_two.pdf

iii. **より高度な検証**。メタデータ解析やジオロケーションなど、コンテンツ解析のためのアプローチ：https://en.unesco.org/sites/default/files/unesco_fake_news_curriculum_verification_digital_sources_three.pdf

上記成果のための学習計画

A. 理論

モジュール計画	時間	学習成果
講義：検証の背景と理論、手法の改良	1 時間	1, 2, 6

B. 演習

モジュール計画	時間	学習成果
i）ソースの検証 - ソーシャルメディア（演習）	30 分	2, 3
ii）逆画像検索（演示と演習）	15 分	2, 3, 4
ii）映像の解析（演示）	30 分	2, 3, 4
iii）様々なタイプのメタデータの紹介（演示）	15 分	2, 5
iii）ジオロケーション（演示＋演習）	20 分	2, 4, 5
iii）気象状況、影と画像のフォレンジック（演示）	10 分	2, 4, 5

課題案

▷参加者は、最初のスライド資料集のスライド8にある一般的なテンプレートを使用して、ソース検証ワークフローを設計する。参加者は、実際の職務、勤務先、またはよく知っている報道機関のいずれかを使用する必要がある。

▷講師自身がつながっている著名人のソーシャルメディアアカウントを選び、参加者に示したツールを使って本物のアカウントかどうかを判断してもらい、関連はあるが本物ではないアカウントを特定する。

▷画像ファイルを選び、それをクラスで共有し、オンラインの EXIF ビューアと逆画像検索ツールを使って、ある特定の情報を識別し、元の出典を伝えるよう指示する。

教 材

スライド

https://en.unesco.org/sites/default/files/unesco_fake_news_curriculum_
verification_digital_sources_one.pdf

https://en.unesco.org/sites/default/files/unesco_fake_news_curriculum_
verification_digital_sources_two.pdf

https://en.unesco.org/sites/default/files/unesco_fake_news_curriculum_
verification_digital_sources_three.pdf

参考文献

ソースの検証

Ayala Iacucci, A. (2014). Case Study 3.1: Monitoring and Verifying During the Ukrainian Parliamentary Election, Verification Handbook. European Journalism Centre. http://verificationhandbook.com/book/chapter3.1.php［閲覧日 04/04/2018］

Bell, F. (2015). Verification: Source vs. Content, First Draft News. https://medium.com/1st-draft/verification-source-vs-content-b67d6eed3ad0［閲覧日 04/04/2018］

Carvin, A. (2013), *Distant Witness*, CUNY Journalism Press. http://press.journalism.cuny.edu/book/distant-witness-social-media-the-arab-spring-and-a-journalism-revolution/［閲覧日 04/04/2018］

Toler, A. (2017). Advanced guide on verifying video content. https://www.bellingcat.com/resources/how-tos/2017/06/30/advanced-guide-verifying-video-content/［閲覧日 04/04/2018］

Trewinnard, T. (2016). Source verification: Beware the bots, First Draft News. https://firstdraftnews.com/source-verification-beware-the-bots/［閲覧日 04/04/2018］

動画

Real or Fake: How to verify what you see on the internet. (2015). France24. https://www.youtube.com/watch?v=Q8su4chuU3M&feature=yout ［閲覧日 04/04/2018］

Knight, W. (2018). The Defense Department has produced the first tools for catching deepfakes, MIT Technology Review. https://www.technology review.com/s/611726/the-defense-department-has-produced-the-first-tools-for-catching-deepfakes/ ［閲覧日 23/08/2018］

アイウィットネスメディア

Brown, P. (2015). A global study of eyewitness media in online newspaper sites. Eyewitness Media Hub. http://eyewitnessmediahub.com/uploads/browser/files/Final%20Press%20Study%20-%20eyewitness%20media%20hub.pdf ［閲覧日 04/04/2018］

Hermida, A. (2013). #JOURNALISM, *Digital Journalism*, 1(3), pp. 295-313.

Koettl, C. (2016, January 27). Citizen Media Research and Verification: An Analytical Framework for Human Rights Practitioners. Centre of Governance and Human Rights, University of Cambridge.https://www.repository.cam.ac.uk/handle/201810/253508 ［閲覧日 04/04/2018］

Kuczerawy, A. (2016, December 16). Pants on fire: content verification tools and other ways to deal with the fake news problem. https://revealproject.eu/pants-on-fire-content-verification-tools-and-other-ways-to-deal-with-the-fake-news-problem/ ［閲覧日 22/01/2018］

Novak, M. (n.d.). 69 Viral Images From 2016 That Were Totally Fake. https://gizmodo.com/69-viral-images-from-2016-that-were-totally-fake-1789400518. ［閲覧日 12/11/2017］

Online News Association: UGC Ethics Guidehttps://ethics.journalists.org/topics/user-generated-content/ ［閲覧日 18/4/2018］

Pierre-Louis, K. (2017). You're probably terrible at spotting faked photos. https://www.popsci.com/fake-news-manipulated-photo ［閲覧日 12/11/2017］

Rohde, D. (2013). Pictures That Change History: Why the World Needs Photojournalists. The Atlantic. https://www.theatlantic.com/international/archive/2013/12/pictures-that-change-history-why-the-world-needs-photojournalists/282498/ ［閲覧日 03/04/2018］

Shapiro, I., Brin, C., Bédard-Brûlé, I. & Mychajlowcz, K. (2013). Verification as a Strategic Ritual: How journalists retrospectively describe processes for ensuring accuracy, *Journalism Practice*, 7(6).

Smidt, J. L., Lewis, C. & Schmidt, R. (2017). Here's A Running List Of Misinformation About Hurricane Irma.https://www.buzzfeed.com/janelytvynenko/irma-misinfo/ ［閲覧日 23/10/2017］

Wardle, C. (2015). 7/7: Comparing the use of eyewitness media 10 years on. https://firstdraftnews.com:443/77-comparing-the-use-of-eyewitness-media-10-years-on/ ［閲覧日 12/11/2017］

Wardle, C., Dubberley, S., & Brown, P. (2017). Amateur Footage: A Global Study of User-Generated Content in TV and Online News Output. http://usergeneratednews.towcenter.org/how-when-and-why-ugc-is-integrated-into-news-output/ ［閲覧日 23/10/2017］

Zdanowicz, C. (2014). "Miracle on the Hudson" Twitpic changed his life. http://www.cnn.com/2014/01/15/tech/hudson-landing-twitpic-krums/index.html. ［閲覧日 12/11/2017］

逆画像検索

First Draft News. Visual Verification Guide-Photos-. https://firstdraftnews.org/wp-content/uploads/2017/03/FDN_verificationguide_photos.pdf?x47084 ［閲覧日 06/11/2017］

First Draft News. Visual Verification Guide Video. https://firstdraftnews.org/

wp-content/uploads/2017/03/FDN_verificationguide_videos.pdf?x47084
［閲覧日 06/11/2017］

Suibhne, E. (2015). Baltimore "looting" tweets show importance of quick and easy imagechecks. https://medium.com/1st-draft/baltimore-looting-tweets-show-importance-of-quick-and-easy-image-checks-a713bbcc275e ［閲覧日 06/11/2017］

Seitz, J. (2015). Manual Reverse Image Search With Google and TinEye. https://www.bellingcat.com/resources/how-tos/2015/05/08/manual-reverse-image-search-with-google-and-tineye/ ［閲覧日 06/11/2017］

YouTube データビューア

First Draft News. (n.d.). Using YouTube Data Viewer to check the upload time of a video-.https://firstdraftnews.com:443/resource/using-youtube-data-viewer-to-check-the-upload-time-of-a-video/ ［閲覧日 13/11/2017］

Toler, A. (2017). Advanced Guide on Verifying Video Content. https://www.bellingcat.com/resources/how-tos/2017/06/30/advanced-guide-verifying-video-content/ ［閲覧日 13/11/2017］

メタデータ解析

Honan, M. (2012). *How Trusting in Vice Led to John McAfee's Downfall.* https://www.wired.com/2012/12/how-vice-got-john-mcafee-caught/ ［閲覧日 03/04/2018］

Storyful. (2014). Verifying images: why seeing is not always believing. https://storyful.com/blog/2014/01/23/verifying-images-why-seeing-is-not-always-believing/ ［閲覧日 13/11/2017］

Wen, T. (2017). The hidden signs that can reveal a fake photo. http://www.bbc.com/future/story/20170629-the-hidden-signs-that-can-reveal-if-a-photo-is-fake ［閲覧日 12/11/2017］

コンテンツ分析

Ess, H. van. (2017). Inside the trenches of an information war. Medium. https://medium.com/@henkvaness/how-to-date-a-mysterious-missile-launcher-78352ca8c3c3［閲覧日 03/04/2018］

Farid, H. (2012a). Image Authentication and Forensics Four and six Technologies-Blog-A Pointless Shadow Analysis. http://www.fourandsix.com/blog/2012/9/4/a-pointless-shadow-analysis.html［閲覧日 03/04/2018］

Farid, H. (2012b). Image Authentication and Forensics Four and six Technologies-Blog-The JFK Zapruder Film. http://www.fourandsix.com/blog/2012/9/11/the-jfk-zapruder-film.html［閲覧日 03/04/2018］

Farid, H. (n.d.-c). Photo Forensics: In the Shadows-Still searching-Foto museum Winterthur. http://www.fotomuseum.ch/en/explore/still-searching/articles/26425_photo_forensics_in_the_shadows［閲覧日 03/04/2018］

First Draft News. (2016). Watch Eliot Higgins demonstrate advanced verification techniques at #FDLive. https://firstdraftnews.com:443/watch-eliot-higgins-discuss-advanced-verification-and-geolocation-techniques-at-fdlive/［閲覧日 03/04/2018］

Higgins, E. (2015, July 24). Searching the Earth: Essential geolocation tools for verification. https://medium.com/1st-draft/searching-the-earth-essential-geolocation-tools-for-verification-89d960bb8fba［閲覧日 03/04/2018］

オンライン・リソース

First Draft Interactive: Geolocation Challenge. https://firstdraftnews.com/resource/test-your-verification-skills-with-our-geolocation-challenge/［閲覧日 03/04/2018］

First Draft Interactive: Observation Challenge. https://firstdraftnews.com/resource/test-your-verification-skills-with-our-observation-challenge/［閲覧日 03/04/2018］

First Draft Online Verification Course. https://firstdraftnews.org/learn/ ［閲覧日 03/04/2018］

ソーシャルメディアの検証

ネット上の誹謗中傷に対抗する：ジャーナリストとその情報源が標的とされた場合

ジュリー・ポセッティ

MODULE 7

はじめに

信用できるジャーナリズムと信頼できる情報を損なう偽情報と誤情報[1]の問題は、ソーシャルメディアの時代に、劇的にエスカレートしています。その結果、情報や論評を検証したり共有したりしようとするジャーナリストやその他のオンライン出版社、及びその情報源が意図的に狙われることになります。それに伴うリスクは、ジャーナリストとその情報源の安全とともに、ジャーナリズムに対する信頼をさらに損ないかねません。

ジャーナリストや潜在的な情報源の注意をそらし、方向性を誤らせるような情報を共有し、「ジャーナリストを誤解させ、誤った情報を与え、混乱させ、危険にさらす」ことを意図的に試みる[2]「アストロターフィング（人工（偽の）草の根運動）」[3]や「トローリング（荒らし）」[4]という行為でターゲットにされたケースもあります。

あるいは、ジャーナリストを騙して不正確な情報を共有させ、それが

---

1 定義については、以下を参照のこと。Wardle, C. & Derakhshan, H. (2017). Information Disorder Toward an Interdisciplinary Framework for Research and Policymaking (Council of Europe). https://rm. coe.int/information-disorder-toward-an-interdisciplinary-framework-for-researc/168076277c ［閲覧日 30/03/2018］

2 Posetti, J. (2013). The 'Twitterisation' of investigative journalism in S. Tanner & N. Richardson (Eds.), *Journalism Research and Investigation in a Digital World*, pp. 88-100, Oxford University Press, Melbourne. http://ro.uow.edu.au/cgi/viewcontent.cgi?article=2765&context=lhapapers ［閲覧日 30/03/2018］

3 「Astroturfing（アストロターフィング）」とは、屋外に敷き詰めることで天然芝のような印象を与える人工芝のブランドに由来する用語である。偽情報の文脈では、特にある人物、思想、政策に対する偽の大衆的支持の「証拠」という形で、誘導したり誤解させたりする意図で、聴衆やジャーナリストをターゲットにして偽情報を広めることが含まれる。Technopedia の定義も参照のこと。https://www.techopedia.com/definition/13920/astroturfing ［閲覧日 20/03/2018］

4 Coco, G. (2012). Why Does Nobody Know What Trolling Means? A quick reference guide for the media at Vice. com. https://www.vice.com/.en_au/article/ppqk78/what-trolling-means-definition-UK-newspapers ［閲覧日 30/03/2018］

事実の誤った解釈につながったり、偽物と判明したときにジャーナリスト（及びそのジャーナリストが所属する報道機関）の信頼性を低下させたりすることもあります。また、情報源の暴露を目的としたデジタル上の脅威に直面するケース、プライバシーを侵害して危険にさらすケース、または未発表のデータにアクセスするケースもあります。

　また、政府が「デジタル・ヘイト・スクワッド」を動員して、批判的な論評を冷やかし、表現の自由を封じ込めるという現象も起きています[5]。また、ネット上でのハラスメントや暴力（「荒らし」と呼ばれることもある）[6]は、女性が不当に多く経験し、その多くが女性差別的であるという深刻な問題があります。このため、オンライン上の誹謗中傷の嵐、彼らの行為に関する虚偽の主張、身元の詐称などによって、ジャーナリストやその情報源やコメンテーターを辱め、自信を失わせ、信用を失墜させ、注意をそらし、最終的には彼らの報道を抑制するよう意図された直接的な脅迫にさらされることがあります[7]。一方、多くの場所で、批判的な報道を抑圧するための物理的な虐待が続いており、ネット上での扇動や脅迫によって助長される危険性があります。

　ジャーナリストは偽情報キャンペーンの直接的な被害者になり得ますが、対抗措置も講じています。デジタル防御の強化に加え、多くのジャーナリストはこうした攻撃を積極的に暴露し、攻撃者の正体を暴いています。この分野のNGOとともにメディアと情報のリテラシーに関す

5　Riley M., Etter, L. and Pradhan, B. (2018). A Global Guide To State-Sponsored Trolling, Bloomberg. https://www.bloomberg.com/features/2018-government-sponsored-cyber-militia-cookbook/［閲覧日 21/07/2018］

6　メモ：インターネット関連の用途における「Trolling（荒らし）」とは、小ばかにしてからかったり、騙したり、煽ったりする行為から、意図的に人を騙すような行為までを指す。しかし、最近では、ネット上での虐待行為全般を指す言葉として展開されることが多くなっている。これは、様々な行為を混同し、オンライン・ハラスメントの深刻さを過小評価する可能性があるため、潜在的に問題がある。

7　例えば、https://www.independent.co.uk/news/world/americas/twitter-maggie-haberman-new-york-times-quits-social-media-jack-dorsey-a8459121.html を参照のこと。

る取り組みを行っているニュースメディアは、ジャーナリズムがなぜ大切にされ、保護される価値があるのかを一般市民に伝える役割も担っています。

 ## 概　要

問題点の洗い出し

I)「トローリング」と「アストロターフィング」の認識と対応[8]

　この現象には、ジャーナリストや視聴者を騙すために、人物や出来事を捏造し、ジャーナリストや視聴者、そして世間の反応を模倣することを目的とした組織的なソーシャルメディア・キャンペーンが含まれます。ニュース速報や正当な目撃証言を、ジャーナリストやその他のオンライン・コメンテーター、彼らの仕事も含め、意図的に誤解を与えたり、信頼性を損なわせたりするための、捏造や不正確な情報をちりばめたコンテンツと見分けるのは難しいかもしれません。

　このような行動の例としては、以下のようなものがあります。

　　▷災害の犠牲者やテロ攻撃の犠牲者を捏造し（マンチェスター爆破事件の例[9]
　　を参照）、配信過程でタグ付けされる可能性のあるジャーナリストを含む
　　個人の評判や信用を損なうようなコンテンツを共有するよう人々を騙し
　　た事例です。

　　▷「ダマスカスのゲイ・ガール」のような架空の人物によって作られた、

8　教育目的に有用な「アストロターフィング」の説明については、次のリンクが価値あるものである。https://youtu.be/Fmh4RdIwswE
9　マンチェスター爆破事件の例。https://www.theguardian.com/technology/2017/may/26/the-story-behind-the-fake-manchester-attack-victims ［閲覧日 30/03/2018］

ニュースに値すると見せかけたコンテンツを公開すること[10]。2011年には、シリアのレズビアンと称するブロガーが逮捕され、世界中のメディアがこぞって報じたが、そのブログの著者は国外に拠点を置く米国人学生であることが判明しました。ジャーナリストのジェス・ヒル（Jess Hill）は、オーストラリア放送協会のPMプログラムでこの報道を担当しました。彼女は、伝統的な検証の価値と方法が、自分の番組が虚偽を増幅することを防いだと言います。「私たちが彼女の逮捕を報道しなかったのは、ある簡単な理由からです。彼女と直接会ったことのある人は一人も見つからないからです。親族も友人もいない。私たちは2日間かけて彼女の知人を探し、彼女の知人と思われるシリアの人たちに彼女と接触した可能性のある人たちを紹介してくれるよう頼みましたが、そのたびに手がかりが途絶えてしまったのです。実際に彼女に会ったことのある人が見つからなかったことに大きな危機感を覚え報道を見送りました。その逮捕記事を急いで報道した通信社は、情報源に立ち返るという基本的な仕事をしていなかったのです。ブログの投稿をもとに報道した事例です。」[11]

その他の動機としては、無益な調査を促して報道活動を停滞させ、最終的には真実の追求を妨げることで、ジャーナリストを調査から遠ざけようとするものもあります。

このような誤った方向に向けさせる方法の事例は、以下のようなものがあります。

▷ 2017年1月のドナルド・トランプの大統領就任式での出席者数を「オル

10　Young, K. (2017). How to Hoax Yourself: The Case of the Gay Girl in Damascus, November 9th, 2017, *The New Yorker*. https://www.newyorker.com/books/page-turner/how to hoax-yourself-gay-girl-in-damascus［閲覧日 30/03/2018］

11　Posetti, J. (2013). op. cit.

タナティブ・ファクト（代替えの事実）」として捉え直させようとしました[12]。

▷現代の戦時中のプロパガンダの例として、タリバンがアフガニスタンのジャーナリストに向けて、戦闘に関する虚偽かつ誤解を招く詳細情報をツイートすることが挙げられます[13]。

▷ジャーナリストに渡されるデータセットは、検証可能な公共の利益価値情報を提供する一方、偽情報が混ざっているものもあります。

さらに最近では、コンピューターを使ったプロパガンダ[14]によって、「アストロターフィング」や「トローリング」に対処するジャーナリストのリスクが高まっています。これには、標的を絞った虚偽の情報やプロパガンダメッセージを、有機的な動きのように見せかける規模で拡散するためにボットを使用することが含まれます[15]。

同時に、AI技術を活用して、ジャーナリストを含む標的を中傷するために設計された「ディープフェイク」[16]の動画やその他のコンテンツ

12　NBC News (2017). Video. https://www.nbcnews.com/meet-the-press/video/conway-press-secretary-gave-alternative-facts-860142147643 ［閲覧日 30/03/2018］

13　Cunningham, E (2011).In shift, Taliban embrace new media, GlobalPost. https://www.pri.org/stories/2011-05-21/shift-taliban-embrace-new-media ［閲覧日 30/03/2018］

14　Woolley, S. & Howard, P. (2017). Computational Propaganda Worldwide Executive Summary, *Working Paper No.2017.11,* Oxford University. http://comprop.oii. ox.ac.uk/wp-content/uploads/sites/89/2017/06/Casestudies-ExecutiveSummary.pdf［閲覧日 30/03/2018］を参照のこと。

15　メモ：2017年の英国総選挙におけるボットキャンペーンに関する浅薄な報道は、こうした問題についての報道の難しさを浮き彫りにしている。c.f. Dias, N. (2017). Reporting on a new age of digital astroturfing, First Draft News. https://firstdraftnews.com/digital-astroturfing / ［閲覧日 29/03/2018］

16　ディープフェイクとは、「ディープラーニング」と「フェイク」を組み合わせた造語で、実質的に検出不可能な、時にはポルノ的な性質を持つ不正なコンテンツの作成にAI技術が関与している。ジャーナリストを含む人々の信用を落とすためのサイバー攻撃で使用される。以下を参照のこと。Cuthbertson, A (2018). What is 'deepfake' porn? AI brings face-swapping to disturbing new level. *Newsweek.*

が作成されています。特に女性記者が標的になることが多いです。

これらの実践例としては、以下のようなものがあります。

▷ 独立系ニュースサイトのラップラー・ドットコム（Rappler.com）と、主に女性のスタッフは、頻繁なオンラインでの嫌がらせのキャンペーンの標的にされました。「フィリピンでは、有償のトロール、誤った論理、論理の飛躍、『井戸に毒をまく行い』（聴衆の意見を操作するために、事前に特定の個人や団体についての偏見や不当な批判を行うプロパガンダ技法）などは、重要な問題についての世論を変えるのに役立つプロパガンダ技術の一部に過ぎません」[17]（以下の詳細な議論を参照）。

▷ 南アフリカの主要な国営企業や政治家を掌握しているとされる富豪一族が、英国の広報会社ベル・ポッティンジャー（Bell Pottinger）に依頼して、入念なプロパガンダ・キャンペーンを策定しました。

彼らは、ウェブサイトやメディア、Twitter軍団を雇って、虚偽情報帝国を形成し、ジャーナリスト、ビジネスパーソン、政治家に対して、侮辱的で敵対的なメッセージや加工された画像を用いて、国有化に対する調査を妨害し、恥辱を与えることを狙いました[18]。著名な編集者であるフェリアル・ハファジー（Ferial Haffajee）は、この時期にネット上での嫌がらせの対象となり、ハッシュタグ#presstitute〔訳者注：特定の組織にこびへつらう記事を書く報道記者または報道機関を意味する造語〕の展開とともに、彼女の画像を操作して誤った人物像を作り上げるという事件が起きまし

---

http://www.newsweek.com/what-deepfake-porn-ai-brings-face-swapping-disturbing-new-level-801328〔閲覧日 17/06/2018〕

17　Ressa, M. (2016).Propaganda War: Weaponising the Internet, Rappler. https://www.rappler.com/nation/148007-propaganda-war-weaponizing-internet〔閲覧日 30/03/2018〕

18　グプタの「フェイクニュース帝国」に関する広範な資料は https://www.timeslive.co.za/news/south-africa/2017-09-04-the-guptas-bell-pottinger-and-the-fake-news-propaganda-machine/〔閲覧日 20/03/2018〕で入手できる。

た[19]。

▷ ジャーナリストのラーナー・アイユーブ（Rana Ayyub）のケースは、彼女の批判的な報道に対抗する目的で虚偽の情報が大量に流通したため、5人の国連特別報告者がインド政府に保護を求めることとなりました。この独立系ジャーナリストは、ソーシャルメディア上で、彼女がポルノ映画を撮ったと誤解させる「ディープフェイク」ビデオや、直接的なレイプや殺害の脅迫など、様々な偽情報にさらされました[20]。

▷ このモジュールのセクション ii) の「デジタル・セーフティ上の脅威と防衛戦略」で取り上げたフィンランド人ジャーナリスト、ジェシカ・アロ（Jessikka Aro）のケース。

本書の他のモジュールでは、特に技術的な検証技術を扱っていますが、参加者が不正行為の一部として、ジャーナリストをターゲットに偽情報や誤情報を作成、配信する一部のオンライン事業者の悪意のある動機を識別できるようにすることが重要です。

情報の検証に追加するべき批判的な質問

1. この共有やタグの背後に悪意があるのでは？
2. コンテンツを投稿した人は、共有することで何を得ようとするのか？
3. もし私がそれを共有したら、私／私の職業的信用／報道機関／雇用主

19　Haffajee, F. (2017). Ferial Haffajee: The Gupta fake news factory and me. HuffPost South Africa. https://www.huffingtonpost. co.za/2017/06/05/ferial-haffajee-the-gupta-fake-news-factory-and-me_a_22126282/［閲覧日 06/04/2018］

20　UN experts call on India to protect journalist Rana Ayyub from online hate campaign. http://www.ohchr.org/EN/NewsEvents/Pages/DisplayNewsaspx?NewsID=23126&Lang ID=E［閲覧日 17/08/2018］。Ayyub, R. (2018), In India, journalists face slut-shaming and rape threats. https://www.nytimes.com/2018/05/22/opinion/india-journalists-slut-shaming-rape.html［閲覧日 17/06/2018］も参照のこと。

にとってどのような影響がありえるか？

4. この個人の身元／所属／信頼性／動機（例：偽情報を流したり、公共の利益を正当化せずに違法に入手したコンテンツの販売で利益を得ようとしていないか）を確認するために十分な努力をしているのか？

5. これは人間かボットか？[21]

6. 内部告発者と称する人物から「データ・ダンプ」を受け取った場合、そのデータセットを完全に公開する前に、内容を独自に検証する必要があるか。意図的に誤解を招いたり、信用を失墜させたりするための偽情報や誤情報がちりばめられている可能性はないか？

II）デジタル・セーフティ上の脅威と防衛戦略

ジャーナリスト、人権活動家、ブロガー／ソーシャルメディア活動家は、サイバー攻撃に対してますます脆弱になっており、フィッシング、マルウェア攻撃、スプーフィング（なりすまし）などを含む悪意のある行為によって、彼らのデータや情報源が侵害される可能性があります[22]。

実践例

フィンランドの国営放送局YLEに勤務する受賞歴のある調査ジャーナリスト、ジェシカ・アロは、2014年以来、組織的な「荒らし」キャンペーンの標的になっています。彼女は、なりすましやドキシング

21　例えば、https://botcheck.me を参照のこと。

22　Technopediaより。スプーフィングとは、未知の送信元から、受信者が知っている送信元を装って通信を送信する詐欺的または悪質な行為である。電子メールによるなりすましは、この手法の最も一般的な形態である。なりすましメールには、トロイの木馬やウイルスなどの脅威が含まれている場合がある。これらのプログラムは、予期しない活動、リモートアクセス、ファイルの削除などを引き起こし、コンピューターに大きな損害を与える可能性がある。https://www.techopedia.com/definition/5398/spoofing ［閲覧日 29/03/2018］

（doxing）[23] などのデジタル・セーフティ上の脅威を経験しており、「荒らし」は彼女の個人的な連絡先を開示し、彼女に関する偽情報を広めた結果、彼女のメッセージング・アプリや受信トレイは怒りのメッセージでいっぱいになっています。「誰かが銃を発砲したという電話を受けました。その後、誰かが私にメールを送ってきて、死んだ父親だと名乗り、私を『観察』していると言ったのです」と彼女は言います[24]。 アロは、ジャーナリストを脅威から守る編集者に感謝の意を表し、ジャーナリストに対してプロパガンダを調査し明示するよう促しました。

したがって、ジャーナリズム関係者は、以下のような脅威に注意することが重要です。

デジタル・セキュリティに関する12の主要な脅威[25]

▷標的を絞った監視と集団監視

▷標的が何者なのかを知らないままに行うソフトウェアやハードウェアの悪用

---

23 Technopedia より。ドキシング（なりすまし）とは、名前、住所、電話番号、クレジットカード情報など、他人の情報を取得し、ハッキングして公開することである。Doxing 対象は、特定の人物や組織であることもある。Doxing を行う理由は様々ですが、最も一般的なものの1つは強制である。Doxing は、文書がしばしば検索され、共有されることから、「.doc」という言葉に由来する俗語である。ハッカーは Dox するための様々な方法を開発してきたが、最も一般的な方法の1つは、被害者の電子メールを入手し、パスワードを暴いてアカウントを開き、より多くの個人情報を取得することである。https://www.techopedia.com/definition/29025/doxing ［閲覧日 29/03/2018］

24 Aro, J. (2016). The cyberspace war: propaganda and trolling as warfare tools, *European View*, Sage Journals, June 2016, Volume 15, Issue 1. http://journals.sagepub.com/doi/full/10.1007/s12290-016-0395-5 ［閲覧日 20/07/2018］

25 Posetti, J. (2015). New Study: Combatting the rising threats to journalists' digital safety (WAN-IFRA). https://blog.wan-ifra.org/2015/03/27/new-study-combatting-the-rising-threats to journalists-digital-safety ［閲覧日 30/03/2018］

▷フィッシング攻撃[26]

▷偽ドメイン攻撃

▷MitM攻撃（中間者攻撃）[27]

▷サービス拒否（DoS）攻撃と分散型サービス拒否攻撃（DDOS-Distributed Denial of Service）[28]

▷ウェブサイトの改ざん

▷悪用されたユーザーアカウント

▷オンライン・ネットワークに対する脅迫、嫌がらせ、強制的な暴露

▷偽情報と中傷キャンペーン

▷ジャーナリズムの成果物の没収

▷データの保存とマイニング

　防衛策については「ジャーナリズムのためのデジタル・セーフティ構築」をご覧ください[29]。

　ジャーナリストや他のメディア制作者と交流する機密情報源や内部告発者への影響については、「デジタル時代におけるジャーナリズムの情報源の保護」をご覧ください[30]。

26　King, G. (2014). Spear phishing attacks underscore necessity of digital vigilance, CPJ. https://cpj.org/blog/2014/11/spear-phishing-attacks-underscore-necessity-of-dig.php ［閲覧日 29/03/2018］

27　Technopedia による MITM（Man in the Middle Attack）の定義。「2人のユーザー間の通信が、権限のない者によって監視され、変更される盗聴の一形態。一般に、攻撃者は公開鍵メッセージ交換を傍受して積極的に盗聴し、要求された鍵を自分の鍵に置き換えながらメッセージを再送信する」https://www.techopedia.com/definition/4018/man-in-the-middle-attack-mitm ［閲覧日 29/03/2018］

28　Technopedia で定義を参照のこと。https://www.techopedia.com/definition/24841/denial-of-service-attack-dos b. https://www.techopedia.com/definition/24841/denial-of-service-attack-dosdefinition/10261/distributed-denial-of-service-ddos ［閲覧日 29/03/2018］

29　Henrichsen, J. et al. (2015). *Building Digital Safety for Journalism.* Paris: UNESCO. http://unesdoc.unesco.org/images/0023/002323/232358e.pdf ［閲覧日 30/03/2018］

30　Posetti, J. (2017). *Building Digital Safety for Journalism.* Paris: UNESCO. http://

ネット上のハラスメントや暴力を認識し、対処する

「私はこれまで、『汚い売春婦』『血まみれのジプシー』『ユダヤ人』『イスラムの尻軽女』『ギリシャの寄生虫』『嫌な移民』『愚かなサイコ』『醜い嘘つき』『偏った憎悪者』と呼ばれてきました。彼らは私に、帰れ、自殺しろ、さもなければ撃つ、舌を切る、指を一本ずつ折る、集団レイプや性的拷問をすると脅され続けています」[31]。これは、2016年にブリュッセルで開かれた欧州委員会のセッションで、スウェーデンの著名なジャーナリスト、アレクサンドラ・パスハリドゥ（Alexandra Pascalidou）がネット上での体験について行った証言です。

女性ジャーナリストやコメンテーターを標的としたこのようなネット上での虐待が世界的に拡散していることから、国連（ユネスコ[32]を含む）やその他の機関が問題を認識し、行動と解決策を呼びかけています。

欧州安全保障協力機構（OSCE）は、「ヘイト・トローリング」の標的として不当に扱われている女性ジャーナリストに対するオンライン上の虐待が国際的な影響を与えていることを示す研究を後援しています[33]。

この調査は、英国のシンクタンク、デモス（Demos）が数十万件のツイートを調査した結果、報道業界は女性が男性よりも多くの罵倒を受け

unesdoc.unesco.org/images/0024/002480/248054E.pdf［閲覧日 30/03/2018］

31 Posetti, J. (2016). Swedish journalist Alexandra Pascalidou Describes Online Threats of Sexual Torture and Graphic Abuse in *The Sydney Morning Herald*, 2016/11/24. http://www.smh.com.au/lifestyle/news-and-views/swedish-broadcaster-alexandra-pascalidou-describes-online-threats-of-sexual-torture-and-graphic abuse-20161124-gswuwv.html［閲覧日 30/03/2018］

32 Posetti, J. (2017). Fighting Back Against Prolific Online Harassment: Maria Ressa in L. Kilman (Ed). op. cit. を参照のこと。ユネスコの決議39号。第39回総会では、「オンラインとオフラインの両方で、セクハラや暴力など女性ジャーナリストが直面する具体的な脅威」に留意している。http://unesdoc.unesco.org/images/0026/002608/260889e.pdf［閲覧日 29/03/2018］

33 OSCE (2016). *Countertering Online Abuse of Female Journalists*. http://www.osce.org/fom/220411?download=true［閲覧日 30/03/2018］

た唯一のカテゴリーであり、「女性ジャーナリストやテレビのニュース司会者は、男性のおよそ3倍もの罵倒[34]を受けている」ことを明らかにしました。罵倒する側のキーワードは「ふしだら女」「レイプ」「売春婦」でした。

女性ジャーナリストに対するネット上での虐待の特徴は、偽情報戦術の使用です。信頼性を損なわせ、屈辱を与え、公的なコメントや報道を抑制する手段として、その人物や仕事について嘘が拡散されるのです。

レイプや殺人などの暴力の脅迫や、「パイルオン」効果（ネット上での個人に対する有機的、組織的、ロボット的な集団攻撃）が加わると、その影響はさらに悪化します。

こうした攻撃は、早朝から深夜まで個人の端末で受けることが多いため、その影響はさらに明確になります。「言葉の暴力で目が覚め、性差別や人種差別の怒号が耳に響いて眠りにつく日もあります。まるで火器を使用しない戦争のようです」とパスハリドゥは言います。

フィリピンでは、ラップラー社（Rappler）のCEO兼編集長であるマリア・レッサ（Maria Ressa）[35]が、国家とつながりのある大規模な偽情報キャンペーンの中で、多発するオンライン・ハラスメントに対抗する事例となっています。彼女は元CNNの戦場特派員ですが、彼女の現場での経験がどれも、2016年以降彼女に向けられた性に関するネットハラスメントの大規模で破壊的なキャンペーンに対抗するのに役に立つものではなかったと言います。

「醜い、犬、蛇と呼ばれ、レイプや殺人の脅迫を受けたこともあります」と彼女は言います。レッサがうけた殺害予告の回数は数え切れません。さらに、彼女は「#ArrestMariaRessa」や「#BringHerToTheSenate」

34　Bartlett, J. et al. (2014). Misogyny on Twitter, Demos. https://www.demos.co.uk/files/MISOGYNY_ON_TWITTER.pdf［閲覧日 30/03/2018］

35　マリア・レッサはUNESCO-Guillermo Canoの世界報道自由賞の審査委員長。https://en.unesco.org/prizes/guillermo-cano/jury

といったハッシュタグキャンペーンの対象にもなりました。このキャンペーンはネット上の人々を攻撃的にし、マリア・レッサらとラップラー社の両方の信用を落とし、彼らの報道を冷遇するように設計されていました。「沈黙のスパイラルが始まったのです。超法規的処刑について批判したり疑問をもったりした人は誰でも残酷なまでに攻撃されました。女性が一番ひどい目にあいました。そして、このシステムは反対意見を封じるために作られたものであり、ジャーナリストをおとなしくさせるために作られたものであることに気づきました。私たちは、厳しい質問をしたり、批判的な態度をとったりしないように仕向けられたのです」と彼女は言います[36]。

　マリア・レッサの反撃戦略は以下の通りです。

▷問題の深刻さを認識する。

▷心理的な影響を認識し、影響を受けたスタッフへの心理的なサポートを援助する。

▷反撃の武器として調査報道を利用する[37]。

▷忠実な視聴者に、攻撃を撃退・抑制するための協力を求める。

▷オンライン・オフライン両方での、ハラスメントに対するセキュリティ強化。

▷プラットフォーム（FacebookやTwitterなど）に対し、オンライン・ハラスメントを抑制し、適切に管理するためのさらなる取り組みを公に呼びかける。

36　Posetti, J. (2017). Fighting Back Against Prolific Online Harassment: Maria Ressa in Kilman, L. (Ed) *An Attack on One is an Attack on All.* Paris: UNESCO. http://unesdoc. unesco.org/images/0025/002593/259399e.pdf ［閲覧日 30/03/2018］

37　これは、先に言及した「Gupta leaks」の事例で Ferial Haffajee が展開した戦術でもある。彼女は、調査報道技術とデジタル・セキュリティの「探偵」を使って、スキャンダルの報道を信用させないために彼女をターゲットにしていた荒らしの何人かの正体を暴いたのだ。以下を参照のこと。https://www.news24.com/SouthAfrica/News/fake-news-peddlers-can-be-traced-hawks-20170123 ［閲覧日 16/06/2018］

オンライン・ハラスメントの脅威の高まりに対処する一方で、偽情報キャンペーンという文脈で、女性ジャーナリストに対するオフラインでのハラスメントが進行していることを認識することも重要です。例えば、オーストラリアの調査報道ジャーナリストであるウェンディ・カーライル（Wendy Carlisle）は、2011年、ABCラジオのドキュメンタリー番組制作中、気候変動否定派の集会で、罵倒され、罵声を浴びせられ、もみくちゃにされました。彼女はこの不正行為から身の安全を守るため、その場を離れました[38]。

モジュールの目的

このモジュールは、「情報障害」の文脈におけるオンライン不正利用のリスクについて読者に知らせ、読者が脅威を認識するのを助け、オンライン不正利用に対抗するためのスキル開発とツールを提供するものです。その目的は以下の通りです。

▷ 悪意のある行為者が、ジャーナリストやその情報源、その他のオンラインコミュニケーターを標的とした偽情報／誤情報キャンペーンを行っているという問題に対する読者の認識を高める。

▷ 「アストロターフィング」「トローリング」、デジタル・セーフティに関する脅威、及びネット上での不正行為をよりよく認識できるようにする。

▷ 読者が「アストロターフィング」と戦うための準備をすること。「トローリング」、デジタル・セーフティへの脅威、オンライン上での虐待に対して、ジェンダーに配慮した方法で戦うための準備をする。

38　Carlisle, W. (2011). The Lord Monckton Roadshow, Background Briefing, ABC Radio National. http://www.abc.net.au/radionational/programs/backgroundbriefing/the-lord-monckton-roadshow/2923400 ［閲覧日 30/03/2018］

学習成果

このモジュールの終了時に、参加者は以下のことを学習成果として修得します。

1. ネット上での濫用が、ジャーナリズムの主体、ジャーナリズム、情報共有、表現の自由に与える影響について、より深い理解を持つことができます。
2. 悪意のある行為者がジャーナリストやその他のオンラインコミュニケーターを標的とした偽情報／誤情報キャンペーンを行っているという問題をもっと認識することができます。
3. ネット上でジャーナリズム活動を行う女性特有の安全上の脅威を理解することができます。
4. 「アストロターフィング」「トローリング」、デジタル・セーフティに関する脅威、ネット上の悪質な行為をより容易に認識できます。
5. ジェンダーに配慮した方法で、「アストロターフィング」「トローリング」、デジタル・セーフティの脅威、オンラインの虐待に対抗するためのより良い対応方法を身につけます。

モジュールの形式

このモジュールは、対面またはオンラインで提供されるように設計されています。理論編と実践編の2つのパートで実行されます。

上記成果のための学習計画

A. 理論

モジュール計画	時間数	学習成果
従来の対面式、または遠隔地からの参加を促すウェビナー・プラットフォームを用いた、対話形式での講義と質疑応答（90分）。講義の内容は、上記の理論や事例から導き出せる。しかし、コースの招集者は、このモジュールの配信に文化的／地域的に関連するケーススタディを含めることが推奨される。	60 – 90 分	1, 2, 3, 4, 5

B. 演習

モジュールの計画	時間	学習成果
従来の教室（対面）形式、またはMoodleやFacebookグループや遠隔地からのオンライン参加が可能な他のeラーニング・プラットフォームを利用したワークショップ／チュートリアル（90分） ワークショップ／チュートリアルは、以下のような形式で行われる。 ・チュートリアルを3〜5人ずつのワーキンググループに分ける。 ・各ワーキンググループには、悪意あるコンテンツの事例（例えば、このモジュールで取り上げたマリア・レッサ、ジェシッカ・アロ、アレクサンドラ・パスハリドゥをターゲットに作成されたコンテンツについて、ブログやソーシャルメディア・チャンネルを検索してください）が提供される。 ・各ワーキンググループは資料の評価を共同実施（資料の背後にある個人／グループを調査する）；リスクと脅威の特定（推奨図書にある、影響についての関連研究を参照する）；資料事例に対応するための行動計画を提案（これには、戦略的な返信、適切であればプラットフォームや警察への報告、問題に関する記事の割り当てなどが含まれる）；自分の行動計画を英文250ワード［日本語500字程度］でまとめ、レビューをうけるために講師／チューターに提出（GoogleドキュメントまたはD同様の共同編集ツールを使用する）。	90 – 120 分	1, 2, 3, 4, 5

別の方法

　この問題をより深く扱うために、このモジュールを3つの独立した講義としても行えます（上述したように、各パートは2部構成です）。

▷「トローリング」と「アストロターフィング」の認識と対応
▷デジタル脅威モデリング[39]と防御戦略
▷ジェンダーによるオンライン・ハラスメントと暴力の認識と管理

課題案

　オンライン上での不正行為（例：偽情報キャンペーンの一環として、偽情報の標的にされたり、デジタル・セキュリティ上の脅威に直面したり、嫌がらせを受けたり、オンライン上で暴力を受けたりした）の経験について、1人または複数のジャーナリストへのインタビューに基づいて、英文1200ワード［日本語2400字程度］の特集記事を書くか、5分間の音声レポート、3分間のビデオレポート、または詳細なインタラクティブ・インフォグラフィックを制作してください。参加者は、課題の中で評判の高い研究を引用し、これらの現象がジャーナリズム／表現の自由や国民の知る権利に与える影響について説明してください。

参考文献

Aro, J. (2016). The cyberspace war: propaganda and trolling as warfare tools, *European View*, Sage Journals, June 2016, Volume 15, Issue 1. http://journals.

39　Stray, J. (2014). Security for journalists, Part Two: Threat Modelling. https://source.opennews.org/articles/security-journalists-part-twothreat-modeling/［閲覧日 2/03/2018］

sagepub.com/doi/ full/10.1007/s12290-016-0395-5［閲覧日 20/07/2018］

Haffajee, F. (2017). The Gupta Fake News Factory and Me in *The Huffington Post*. http:// www.huffingtonpost.co.za/2017/06/05/ferial-haffajee-the-gupta-fake-news-factory-and-me_a_22126282/［閲覧日 29/03/2018］

OSCE (2016). *Countering Online Abuse of Female Journalists*. http://www. osce.org/ fom/220411?download=true［閲覧日 29/03/2018］

Posetti, J. (2017). Fighting Back Against Prolific Online Harassment: Maria Ressa in L. Kilman (Ed) *An Attack on One is an Attack on All*. UNESCO. http://unesdoc. unesco.org/images/0025/002593/259399e.pdf［閲覧日 29/ 03/2018］

Posetti, J. (2016). Swedish journalist Alexandra Pascalidou Describes Online Threats of Sexual Torture and Graphic Abuse in *The Sydney Morning Herald*, 24/11/2016. http:// www.smh.com.au/lifestyle/news-and-views/ swedish-broadcaster-alexandra-pascalidou-describes-online-threats-of-sexual-torture-and-graphic-abuse-20161124-gswuwv.html［閲覧日 29/03/ 2018］

Reporters Sans Frontieres (2018). *Online Harassment of Journalists: Attack of the trolls*. Reporters Without Borders. https://rsf.org/sites/default/files/rsf_report_on_online_ harassment.pdf［閲覧日 20/8/18］

Riley M., Etter, L. and Pradhan, B. (2018). A Global Guide To State-Sponsored Trolling, Bloomberg. https://www.bloomberg.com/features/2018-government-sponsored-cyber-militia-cookbook/［閲覧日 21/07/2018］

Stray, J. (2014). Security for journalists, Part Two: Threat Modelling. https:// source. opennews.org/articles/security-journalists-part-two-threat-modeling/［閲覧日 02/03/2018］

オンライン資料

動画：How to Tackle Trolls and Manage Online Harassment – a panel discussion at the International Journalism Festival, Perugia, Italy (April 2017) with Julie Posetti (Fairfax Media), Hannah Storm (International News Safety Institute), Alexandra Pascalidou (Swedish journalist), Mary Hamilton (The Guardian), Blathnaid Healy (CNNi). http://media.journalismfestival.com/ programme/2017/ managing-gendered-online-harrassment

寄稿者・貢献者

マグダ・アブ=ファディル（Magda Abu-Fadil）：レバノンを拠点とするメディア・アンリミテッドのディレクター

ファーガス・ベル（Fergus Bell）：デジタル・ニュース収集とユーザー生成コンテンツの検証の専門家。Dig Deeper Media の創設者

ホセイン・デラクシャン（Hossein Derakhshan）：イラン系カナダ人のライター、研究者、ハーバード大学ケネディスクール、ショーレンスタイン・センターのフェロー

シェリリン・アイアトン（Cherilyn Ireton）：南アフリカ出身のジャーナリスト、世界新聞・ニュース発行者協会（WAN-IFRA）内の世界編集者フォーラムのディレクターを務めている

アレクシオス・マントザルリス（Alexios Mantzarlis）：ポインター研究所で国際ファクトチェック・ネットワークを率いる

アリス・マシューズ（Alice Matthews）：シドニーにあるオーストラリア放送協会（ABC）のニュース・時事ジャーナリスト

ジュリー・ポセッティ（Julie Posetti）：オックスフォード大学ロイター・ジャーナリズム研究所のシニア・リサーチ・フェロー

トム・トレウィナード（Tom Trewinnard）：Meedan のオープンソース検証ツールキット「Check」のプログラム・リーダー

クレア・ワードル（Claire Wardle）：ファースト・ドラフトのエグゼクティブ・ディレクター、ハーバード・ケネディスクールのメディア・政治・公共政策に関するショーレンスタイン・センターのリサーチ・フェロー

写真出典

カバー：UNESCO/Oscar Castellanos
モジュール1: Abhijith S Nair on Unsplash
モジュール2: Christoph Scholz on Flickr
モジュール3: Samuel Zeller on Unsplash
モジュール4: Aaron Burden on Unsplash
モジュール5: The Climate Reality Project on Unsplash
モジュール6: Olloweb Solutions on Unsplash
モジュール7: rawpixel on Unsplash
バックカバー：rawpixel on Unsplash

グラフィックデザイン

Mr. Clinton www.mrclinton.be

外部査読者：南アフリカ・ヨハネスブルグ大学ジャーナリズム・映画・テレビ学科イルバ・ロドニー・グメデ（Ylva Rodny-Gumede）教授、カタール大学芸術科学部マスコミュニケーション学科バショウニ・ハマダ（Basyouni Hamada）教授、パリ・アメリカ大学グローバルコミュニケーション学科ジェイソン・ハーシン（Jayson Harsin）教授

◎ 翻訳者紹介

加納寛子（かのうひろこ）［翻訳監修］
山形大学准教授。主な著書：『新型コロナウイルスが人間社会へ残した禍根——渦中に見いだされたセレンディピティとコロナ世代の可塑性』（大学教育出版、2022）、『ネットいじめの構造と対処・予防』（金子書房、2016）、『いじめサインの見抜き方』（金剛出版、2014）など。

小棹理子（おざおりこ）［翻訳］
ソニー学園湘北短期大学教授を2023年に定年退職。主な著書：『大学一年生のための情報リテラシー』（丸善出版、2018）、『大学生のための基礎力養成ブック』（丸善出版、2012）、『基礎からわかる無機化学』（丸善出版、2010）など。

黒沢　学（くろさわまなぶ）［翻訳］
東京電機大学教授。主な著書：『認知心理学——知のアーキテクチャを探る』（共著、有斐閣、2011）、『文章理解の心理学——認知、発達、教育の広がりの中で』（共著、北大路書房、2001）、『教育心理学研究の技法』（共著、福村出版、2000）など。

鈴木智久（すずきともひさ）［翻訳］
ICDL Asia 公認コンサルタント。1998年立命館大学政策科学部卒。個別学習塾教室長、青年海外協力隊シニアボランティア（ケニア／ PC インストラクター）を経て現職。

ユネスコ　フェイクニュース対応ハンドブック
—— SNS 時代のジャーナリズム教育

2023 年 12 月 30 日　初版第 1 刷発行

編　　者	ユ ネ ス コ
翻訳監修者	加 納 寛 子
発 行 者	大 江 道 雅
発 行 所	株式会社 明石書店

〒 101-0021
東京都千代田区外神田 6-9-5
電　話　　03-5818-1171
FAX　　　03-5818-1174
http://www.akashi.co.jp
振　替　　00100-7-24505

組版：明石書店デザイン室
印刷・製本：モリモト印刷株式会社

（定価はカバーに表示してあります）　　　　　　　ISBN978-4-7503-5646-4